Gramática Ativa 2

3.ª Edição Revista e Aumentada

Isabel Coimbra
Olga Mata Coimbra

EMPRESA PROMOTORA
DA LíNGUA PORTUGUESA

LIDEL

Lidel – edições técnicas, lda

Da mesma Editora:

— **PORTUGUÊS XXI – Nova Edição**
Curso de Português Língua Estrangeira estruturado em 3 níveis: iniciação, elementar e intermédio.
Componentes: Livro do Aluno + CD áudio, Caderno de Exercícios e Livro do Professor.

— **PRATICAR PORTUGUÊS**
Atividades linguísticas variadas, destinadas a alunos de Português Língua Estrangeira de nível elementar e/ou intermédio.

— **OLÁ! COMO ESTÁ?**
Curso intensivo de Português Língua Estrangeira destinado a adultos ou jovens adultos.
Componentes: Livro de Textos, Livro de Atividades (que contém um Caderno de Vocabulário) e CD áudio duplo.

— **VAMOS LÁ COMEÇAR!**
Explicações e exercícios de gramática e vocabulário em 2 volumes (nível elementar).

— **VAMOS LÁ CONTINUAR!**
Explicações e exercícios de gramática e vocabulário (níveis intermédio e avançado).

— **NOVO PORTUGUÊS SEM FRONTEIRAS 1**
Destina-se a aprendentes principiantes, cobrindo as estruturas gramaticais e lexicais básicas do nível de iniciação e elementar. Inclui CD áudio duplo que contém as gravações dos diálogos, textos e exercícios de oralidade.

— **QUAL É A DÚVIDA?**
Livro de exercícios destinado a alunos de nível intermédio, intermédio alto e avançado.

— **GUIA PRÁTICO DOS VERBOS PORTUGUESES**
Manual prático de conjugação verbal. Inclui verbos com preposições e particularidades de conjugação de alguns verbos no Brasil.

— **GUIA PRÁTICO DE VERBOS COM PREPOSIÇÕES**
Dicionário de verbos com preposições e os seus respetivos significados. Contém mais de 2000 verbos com preposições.

— **LER PORTUGUÊS**
Coleção de histórias originais de leitura fácil e agradável, estruturada em 3 níveis.

— **PORTUGUÊS ATUAL 1, 2 e 3**
Destina-se ao ensino/aprendizagem de Português Língua Estrangeira, níveis A1/A2, B1/B2 e C1/C2, e pretende ser um livro de apoio, na sala de aula e/ou em trabalho autónomo. Inclui CD áudio.

— **ENTRE NÓS 1 e 2**
Método de Português Língua Estrangeira que contempla os níveis A1, A2, B1 e B2. Cada conjunto de materiais pressupõe entre 100 a 120 horas de trabalho, englobando o trabalho na sala de aula e o estudo autónomo.

— **NA ONDA DO PORTUGUÊS 1, 2 e 3**
Projeto pedagógico destinado ao ensino de Português Língua Estrangeira e Português Língua Segunda, dirigido a jovens alunos, que privilegia uma abordagem comunicativa por competências e tarefas.

— **GRAMÁTICA ATIVA 1 – 3.ª Edição**
Destina-se ao ensino de Português Língua Estrangeira ou Português Língua Segunda e contém explicações claras e aplicação prática das principais estruturas dos níveis elementar e pré-intermédio – A1, A2 e B1.

EMPRESA PROMOTORA DA LÍNGUA PORTUGUESA

A **Lidel** adquiriu este estatuto através da assinatura de um protocolo com o **Camões – Instituto da Cooperação e da Língua,** que visa destacar um conjunto de entidades que contribuem para a promoção internacional da língua portuguesa.

EDIÇÃO E DISTRIBUIÇÃO
Lidel – EdiçõesTécnicas, Lda
Rua D. Estefânia, 183, r/c Dto – 1049-057 Lisboa
Tel: +351 213 511 448
lidel@lidel.pt
Projetos de edição: editoriais@lidel.pt
www.lidel.pt

LIVRARIA
Av. Praia da Vitória, 14 A – 1000-247 Lisboa
Tel: +351 213 511 448
livraria@lidel.pt

Copyright © 2012, Lidel – Edições Técnicas, Lda.
ISBN edição impressa: 978-972-757-639-5
1.ª edição: janeiro 2001
3.ª edição atualizada impressa: janeiro 2012
Reimpressão: setembro 2020

Pré-Impressão: REK LAME Multiserviços Gráficos & Publicidade, Lda.
Impressão e acabamento: Cafilesa – Soluções Gráficas, Lda. – Venda do Pinheiro
Depósito Legal: 357513/13

Capa: José Manuel Reis
Ilustrações: Pedro Alves / re-searcher.com

Todos os nossos livros passam por um rigoroso controlo de qualidade, no entanto aconselhamos a consulta periódica do nosso *site* (www.lidel.pt) para fazer o *download* de eventuais correções.

Não nos responsabilizamos por desatualizações das hiperligações presentes nesta obra, que foram verificadas à data de publicação da mesma.

Os nomes comerciais referenciados neste livro têm patente registada.

Índice

Índice

A **Gramática Ativa 2** destina-se ao ensino/aprendizagem de Português Língua Estrangeira (PLE) e Português Língua Segunda (PL2) e contempla as principais estruturas dos níveis intermédio e avançado – **B1⁺**, **B2** e **C1**.

A presente edição da **Gramática Ativa 2**, em formato mais alargado, apresenta um *design* moderno e apelativo bem como ilustrações de suporte à compreensão.
A nível do conteúdo, apresenta novas unidades, para introdução de novas áreas/estruturas; unidades totalmente reformuladas, para uma melhor exposição da estrutura/área apresentada; unidades desdobradas, para aprofundamento e alargamento da estrutura/área apresentada; atualização dos contextos socioculturais; novos exercícios.

A presente edição da **Gramática Ativa 2** divide-se em 43 unidades, maioritariamente constituídas por duas páginas, contendo explicações e respetiva exemplificação na página da esquerda e os exercícios de aplicação correspondentes na página da direita; algumas unidades, porém, abrangem quatro páginas: as duas primeiras com explicações e as duas últimas com os respetivos exercícios de aplicação ou apenas uma página de explicações e três de exercícios.

A **Gramática Ativa 2** não está orientada para ser um livro de curso de PLE / PL2. Trata-se de material suplementar, a ser usado na sala de aula ou em casa e, como tal, o livro não deverá ser trabalhado do princípio ao fim, seguindo a ordem numérica das unidades: estas devem ser selecionadas e trabalhadas, de acordo com as dificuldades do utilizador/aprendente.

A **Gramática Ativa 2** inclui ainda, para além da chave dos exercícios, quatro apêndices – acentuação; pontuação; formação de palavras (derivação e composição) e conjugação dos verbos (modelo da 1.ª, 2.ª e 3.ª conjugações e verbos auxiliares).

presente do conjuntivo

◇ Forma-se a partir da **1.ª** pessoa do singular do presente do indicativo, a que se retira a desinência **-o** e se substitui por **-e**, para os verbos em **-ar** e por **-a**, para os verbos em **-er** e **-ir**.

	1.ª pessoa do singular	
	presente do indicativo	**presente do conjuntivo**
fal**ar**	eu fal**o**	eu fal**e**
com**er**	eu com**o**	eu com**a**
abr**ir**	eu abr**o**	eu abr**a**

presente do conjuntivo

	-ar	**-er**	**-ir**
eu	fal**e**	com**a**	abr**a**
tu	fal**es**	com**as**	abr**as**
você ele ela	fal**e**	com**a**	abr**a**
nós	fal**emos**	com**amos**	abr**amos**
vocês eles elas	fal**em**	com**am**	abr**am**

◇ Usamos o **presente do conjuntivo** depois de **expressões impessoais** com o verbo no presente do indicativo para, de um modo geral, expressar uma ação eventual no futuro.

É possível que hoje ainda **chova**.

É bom que vocês **cheguem** a horas.

É provável que ele se **atrase**. Está muito trânsito.

É importante que **leiam** este artigo.

É necessário que ela **aprenda** línguas.

É preciso que **acabem** o trabalho antes das 18h00.

É melhor que **consultes** um médico.

Basta que vocês **peçam** autorização ao chefe.

É suficiente que **deixe** o número de telefone.

Convém que **vejam** primeiro o filme.

É conveniente que **tragam** agasalhos. Está muito frio no Norte.

1.1. Complete com os seguintes verbos no **presente do conjuntivo**.

1. ter / eu _tenha_
2. vir / ela _venha_
3. ver / ele _veja_
4. comprar / nós _compremos_
5. fazer / tu _eu faça_
6. pedir / você _peça_
7. abrir / eles _abram_
8. pagar / eu _pague_
9. seguir / vocês _sigam_
10. pôr / ela _ponha_
11. trazer / ele _traga_
12. vestir / tu _vistas_
13. ficar / você _fique_
14. despir / eles _dispam_
15. ouvir / ela _ouça_
16. perder / eu _____
17. conseguir / nós _consigamos_
18. ler / vocês _lejam_
19. dormir / eu _durma_ ✗
20. beber / você _beba_
21. dizer / eles _digam_
22. sair / tu _saias_
23. poder / ela _possa_
24. trabalhar / nós _trabalhemos_

1.2. Complete as frases com os verbos no **presente do conjuntivo**.

1. (ficar cansado) É natural que, depois de um dia de trabalho, ela _fique cansada_.
2. (ter cuidado) É conveniente que ele _tenha cuidado_.
3. (ouvir) É bom que eles me _ouçam_.
4. (seguir as instruções) É aconselhável que vocês _sigam_.
5. (vir cá a casa) É possível que ele _venha_.
6. (começar mais tarde) É provável que a reunião _comece_.
7. (ver a Ana hoje) É natural que eu _veja_.
8. (comer tanto) É melhor que tu não _comas_.
9. (ler o artigo) Convém que vocês _lejam leiam_ ✗.
10. (pagar com cartão de crédito) É preferível que os senhores _paguem_.
11. (pôr o casaco) É conveniente que tu _ponhas_.
12. (fazer barulho) É bom que vocês não _façam barulho_.
13. (sentir frio) É natural que ela _sinta_.
14. (levar uns amigos) É provável que nós _levemos_.
15. (pedir as chaves ao porteiro) Basta que tu _pidas peças_ ✗.

1.3. Transforme as seguintes frases de maneira a usar **expressões impessoais** seguidas do verbo no **presente do conjuntivo**.

1. Provavelmente eles ganharão o jogo.
   É provável que eles ganhem o jogo.

2. Possivelmente encontrarás lá o Pedro.

3. Ele precisa de investir melhor o dinheiro.

4. A senhora necessita de fazer dieta.

5. Possivelmente conseguirás emprego.

6. Necessitas de estudar mais.

7. Provavelmente ainda farei alguns erros.

8. Provavelmente ficarei em casa.

9. Precisas de ter cuidado com a alimentação.

10. Ela tem necessidade de descansar mais.

11. Possivelmente virão visitar-me.

12. Provavelmente não te sentirás à vontade.

13. Possivelmente ainda nos vemos hoje.

14. Naturalmente estás cansadíssimo.

presente do conjuntivo

verbos irregulares

	dar	estar	haver	ir	querer	saber	ser
eu	dê	esteja		vá	queira	saiba	seja
tu	dês	estejas		vás	queiras	saibas	sejas
você ele ela	dê	esteja	haja	vá	queira	saiba	seja
nós	dêmos	estejamos		vamos	queiramos	saibamos	sejamos
vocês eles elas	deem	estejam		vão	queiram	saibam	sejam

◇ Usamos o **presente do conjuntivo** depois de determinadas **conjunções** e **locuções** para, de um modo geral, expressar eventualidade no futuro.

conjunções/locuções

concessivas: indicam um facto que poderia contrariar a realização da ação expressa na oração principal.	
embora **mesmo que** **ainda que** + presente do conjuntivo **se bem que** **nem que**	*Embora* o tempo **esteja** bom, fico em casa. *Mesmo que* **chova**, vamos ao futebol. *Ainda que* **esteja** cansada, ajudo-te no trabalho. *Se bem que* ele não **saiba** línguas, nunca tem problemas quando viaja. Não pago, *nem que* **chamem** a polícia.

condicionais: indicam uma hipótese ou uma condição de que depende a ação expressa na oração principal.	
caso **sem que** **desde que** + presente do conjuntivo **a menos que** **a não ser que**	*Caso* **seja** necessário, vou falar com o advogado. *Sem que* **vejas** o filme, não podes dizer se é bom ou mau. Temos aulas, *desde que* não **haja** greve dos professores. Telefona-me, *a menos que* **venhas** muito tarde. Ele não te ouve, *a não ser que* **grites**.

finais: indicam a finalidade da oração principal.	
para que **a fim de que** + presente do conjuntivo	Vá de táxi *para que* não se **atrase**. *A fim de que* **obtenham** resultados, têm de investir mais.

temporais: exprimem uma ideia de tempo, indicando anterioridade (1) e posterioridade (2).	
antes que (1) **até que** (2) + presente do conjuntivo **logo que** (2)	Come um pouco de bolo *antes que* **acabe**. *Até que* vos **deem** novas instruções, continuem o trabalho. *Logo que* **possa**, telefono-te.

2.1. Complete com os seguintes verbos no **presente do conjuntivo**.

1. querer / eu _____
2. saber / nós _____
3. estar / ele _____
4. dar / ela _____
5. ser / vocês _____
6. ir / tu _____
7. ser / eu _____
8. haver _____
9. ir / nós _____
10. saber / ele _____
11. querer / você _____
12. estar / nós _____
13. dar / eu _____
14. estar / eles _____
15. saber / tu _____
16. ser / ela _____
17. ir / eu _____
18. querer / vocês _____
19. ir / ela _____
20. ser / tu _____
21. estar / eu _____
22. querer / nós _____
23. dar / eles _____
24. saber / eu _____

2.2. Complete as frases com o **presente do conjuntivo**.

1. Mesmo que ela _____ (encontrar) a carteira, é natural que o dinheiro não _____ (estar) lá.
2. Toma nota na agenda para que não _____ (esquecer-se) da reunião.
3. Sem que vocês _____ (fazer) os exercícios, não podem sair.
4. Caso eu não _____ (poder) ir, telefono-vos.
5. Embora ele _____ (ser) riquíssimo, leva uma vida modesta.
6. Caso _____ (querer) a minha ajuda, é só pedires.
7. Todos têm de treinar, mesmo que _____ (estar) mau tempo.
8. Embora ela _____ (ter) um bom *curriculum*, não foi aceite para o lugar.
9. Logo que _____ (acabar) de comer, vão lavar os dentes.
10. Não podem tirar conclusões sem que _____ (saber) os resultados da sondagem.
11. Desde que não _____ (haver) inconveniente, podemos fazer o jantar no sábado.
12. Vamos chegar tarde, a não ser que vocês _____ (despachar-se).
13. Não lhe digas nada, a menos que ela te _____ (perguntar).
14. Logo que eles _____ (chegar), avisem-me.
15. Não falo mais com ele, nem que me _____ (pedir) desculpa.
16. Come a sopa, antes que _____ (arrefecer).
17. Come, antes que _____ (ficar) tudo frio!
18. Não apanho trânsito, desde que _____ (ir) cedo.
19. Usa este amuleto, para que te _____ (dar) sorte.

2.3. Altere as seguintes frases sem lhes modificar o sentido. Comece como indicado.

1. Ela é uma excelente funcionária, mas chega sempre atrasada.
   Embora *ela seja uma excelente funcionária, chega sempre atrasada.*
2. Tenham cuidado para não partirem nada.
   Tenham cuidado para que _____
3. Apesar de ele saber bem inglês, não foi admitido.
   Embora _____
4. No caso de não haver bilhetes para o teatro, vamos para minha casa.
   Caso _____
5. A senhora abre uma conta à ordem e recebe logo o cartão multibanco.
   Logo que _____
6. Sem falar com ele primeiro, não posso tirar conclusões.
   Sem que _____
7. Encomendamos mais comida no caso de ele vir.
   Caso _____
8. Não o conheço pessoalmente, mas falamos muito ao telefone.
   Embora _____
9. Leva o mapa da cidade no caso de não conseguires encontrar a casa.
   Leva o mapa da cidade caso _____
10. Até estares completamente bom, não deves sair.
    Até que _____
11. Podem oferecer-me as viagens, mas não trabalho mais com essa agência.
    Nem que _____
12. Empresto-te o carro, mas tens de guiar com cuidado.
    Empresto-te o carro, desde que _____

9

Unidade

3

presente do conjuntivo introduzido por **verbos** ou
expressões de desejo, ordem, dúvida, sentimento, etc.

◇ Usamos o **presente do conjuntivo** para expressar ações eventuais no futuro em frases introduzidas pela conjunção **que** e antecedidas por verbos ou expressões que exprimam **desejo, ordem, dúvida, sentimento**, etc., conjugados no presente do indicativo.

	presente do indicativo		
verbos	agradecer desejar duvidar esperar exigir gostar lamentar pedir preferir proibir querer recear sentir sugerir	**+ que**	**+ presente do conjuntivo**
expressões	ter dúvidas ter medo ter pena		

Espero que amanhã **esteja** bom tempo.
Queres que eu te **ajude**?
Lamentamos que vocês não **possam** ficar.
Duvido que ele **tenha** razão.
Receio bem *que* eles se **percam** na cidade.
Prefiro que **venham** mais cedo.
O professor *pede que* o **ouçam** com atenção.
Ela só *deseja que* tudo **corra** bem.

Tenho imensa *pena que* não **fique** mais tempo.
Temos muitas *dúvidas que* ele **saiba** tudo.
A Ana *tem medo que* o marido **seja** despedido.

Agradeço que se **sentem** para começarmos a reunião.
Exijo que me **contem** toda a verdade.
Proíbo-te que me **fales** nesse tom.
Sinto muito *que* afinal não **possas** vir.
Sugiro que **vá** primeiro ao médico.
Não gosto que te **vistas** dessa maneira.

3.1. Complete com os verbos no **presente do conjuntivo**.

1. (correr bem) Espero que a viagem *corra bem.* _____
2. (saber tantas línguas) Duvido que ele _____
3. (poder ficar) Lamento que a Ana não _____
4. (dar todas as informações) Agradecemos que os senhores nos _____
5. (esquecer o assunto) Prefiro que tu _____
6. (sentir-se bem) Só desejamos que a senhora _____
7. (estar melhor) Espero que o seu marido _____
8. (vir comigo) Gosto que tu _____
9. (fazer barulho) Receio bem que eles _____
10. (devolver o dinheiro) Exijo que a loja me _____
11. (ser um bom aluno) Queremos que tu _____
12. (haver algum problema) Tenho medo que _____
13. (telefonar mais tarde) Prefiro que o senhor me _____
14. (apanhar um táxi) Duvido que a estas horas tu _____
15. (jantar connosco) Tenho pena que vocês não _____
16. (consultar o médico) Sugiro que tu _____

3.2. Ponha os verbos no **presente do conjuntivo**.

1. Ele não admite que eu _____ (chegar) atrasada.
2. Não acredito que ela _____ (conseguir) o lugar.
3. Duvido que eles _____ (vencer) na final.
4. Espero que vocês _____ (vir) cá mais vezes.
5. Peço-vos que _____ (ter) mais um pouco de paciência.
6. Quero que _____ (ajudar) o teu irmão com os trabalhos.
7. Espero que agora tu _____ (ver) melhor com esses óculos.
8. Prefiro que _____ (ir) de táxi. É mais prático para si.
9. Queres que eu lhe _____ (dizer)?
10. Só desejo que vocês _____ (divertir-se) muito.
11. Receio bem que ele ainda não _____ (saber) o que aconteceu.
12. Espero que tu _____ (dormir) bem hoje e que amanhã _____ (estar) melhor.
13. Tenho dúvidas que ela _____ (acreditar) nessa história.
14. Agradeço que, da próxima vez, vocês _____ (trazer) os livros.
15. Detesto que vocês me _____ (mentir).
16. Sinto muito que não _____ (poder) ficar mais tempo. Gostei da tua visita.

3.3. Dê respostas curtas com os verbos no **presente do conjuntivo**.

1. — Acham que já **é** tarde?
   — Esperemos que não *seja* _____ .
2. — Achas que eles se **lembram** de mim?
   — Duvido que _____
3. — Achas que ela **está** a mentir?
   — Receio que _____ .
4. — Achas que **consigo** chegar a tempo?
   — Duvido que _____

5. — Acha que **há** algum problema?
   — Espero que não _____ .
6. — Achas que ela **aceita** o convite?
   — Duvido que _____ .
7. — Acham que ele **sabe** alguma coisa?
   — Duvidamos que _____ .
8. — Achas que eles **vêm** hoje?
   — Espero que _____

presente do conjuntivo em frases dubitativas e exclamativas

◇ Usamos o **presente do conjuntivo** precedido do advérbio **talvez**, em **frases dubitativas para** exprimir dúvida e/ou probabilidade.

O professor faltou à aula. **Talvez esteja** doente.

— Vais connosco ao cinema?
— **Talvez vá**. Ainda não sei.

Como foram de táxi para a estação, **talvez** não **percam** o comboio.

◇ Usamos o **presente do conjuntivo** precedido de determinadas interjeições e locuções, em **frases exclamativas** para exprimir desejo.

exclamativas de desejo	
Oxalá **Tomara que** **Deus queira que** **Quem me dera que**	**+ presente do conjuntivo**

O tempo, ultimamente, tem estado muito incerto. Apesar disso, o João e os amigos combinaram ir à praia no próximo fim de semana.

— Então? Sempre vamos à praia amanhã?
— Vamos. Está tudo combinado.
— **Tomara que** não **chova**!

A Ana não sai de casa há mais de duas semanas. Tem estudado bastante. Hoje, finalmente, é o dia do exame e está nervosíssima.

— Estás preparada para o exame?
— Acho que sim. Estudei bastante.
— **Oxalá** te **corra** bem!

O Sr. Ramos não se tem sentido bem. Tem andado com dores de estômago. Foi ao médico e este achou que ele devia ser internado.

— **Deus queira que** não **seja** nada de grave!

O Pedro está contentíssimo com o novo emprego. Gosta do trabalho, dos colegas e do chefe. Este até já está a pensar numa promoção a curto prazo.

— Ouvi dizer que te vão promover.
— **Quem me dera que tenhas** razão!

4.1. Complete as frases com o **presente do conjuntivo**.

1. Se calhar ficamos em casa amanhã.
   Talvez _____
2. Provavelmente não está ninguém no escritório.
   Talvez _____
3. Possivelmente já não os vejo hoje.
   Talvez _____
4. Provavelmente ainda há bilhetes para o concerto.
   Talvez _____
5. Se calhar vou jantar fora.
   Talvez _____
6. Possivelmente faço a festa no próximo sábado.
   Talvez _____

4.2. Faça frases afirmativas com o **presente do conjuntivo**.

1. Não sei se tenho de trabalhar neste fim de semana.
   Talvez _____
2. Não sei se eles querem vir connosco.
   Talvez _____
3. Não sei se consigo falar com ele amanhã.
   Talvez _____
4. Não sei se eles podem vir connosco.
   Talvez _____
5. Não sei se os vejo hoje à noite.
   Talvez _____

4.3. Dê respostas que exprimam opinião contrária.

1. — Achas que ela **está** mesmo doente?
   — Talvez *não esteja* _____.
2. — Achas que eles **estão** a mentir?
   — Talvez _____.
3. — Achas que ela **sabe** o que aconteceu?
   — Talvez _____.
4. — Acha que **há** algum problema?
   — Espero que _____.
5. — Achas que ela **aceita** o convite?
   — Duvido que _____!
6. — Acham que ele **sabe** alguma coisa?
   — Duvidamos que _____.

4.4. Complete as **exclamativas** com o **presente do conjuntivo**.

1. — Ele tem trabalhado tanto.
   — Oxalá _____ (passar) no exame!
2. — Ela vai ser operada.
   — Deus queira que _____ (correr) tudo bem!
3. — Vou mudar de emprego.
   — Tomara que _____ (dar) certo!
4. — Amanhã é a final do campeonato.
   — Quem me dera que _____ (ganhar) a nossa equipa!
5. — Vou buscá-los ao aeroporto.
   — Tomara que o avião _____ (vir) a horas!
6. — O médico já tem os resultados dos meus exames.
   — Oxalá _____ (ser) boas notícias!

presente do conjuntivo depois de *por mais que*, *por muito que*, *por pouco que*, etc.

◇ As locuções **por mais que**, **por muito que**, **por pouco que**, etc., pedem o verbo no **conjuntivo** e introduzem orações subordinadas concessivas que exprimem de **forma exagerada** uma oposição ou restrição ao que está expresso na oração subordinante.

Por mais que trabalhe, não sou promovido.
> Isto é, mesmo que trabalhe 24 horas por dia, 7 dias por semana, não sou promovido.

Por muito que me **esforce**, não consigo lembrar-me do nome dele.
> Isto é, mesmo que me esforce até à exaustão, não consigo lembrar-me do nome dele.

Por pouco que beba, o café tira-me o sono.
> Isto é, mesmo que beba só um golo, o café tira-me o sono.

Vejamos algumas combinações possíveis:

☐ **por** + **advérbio** (grau normal) + **que** + **presente do conjuntivo**

Por muito que me **peças**, não vou alterar a minha decisão.
Por pouco que seja, aceito a tua oferta.
Por mais que tentes, não vais conseguir.

☐ **por** + **advérbio/adjetivo** (grau superlativo) + **que** + **presente do conjuntivo**

Por muito cansado que esteja, está sempre pronto a ajudar os amigos.
Por pior que esteja o tempo, o Manuel não perde um jogo de futebol.
Por muito tarde que chegues, telefona-me.

☐ **por** + **advérbio/adjetivo** + **nome** + **que** + **presente do conjuntivo**

Por mais dinheiro que me **ofereçam**, não vendo a casa.
Por muitos anos que viva, não vou esquecer este dia.

5.1. Complete as frases com a forma correta dos verbos dados.

1. Por muito que _____ (comer), ela não engorda.
2. Por pouco que _____ (dormir), está sempre bem disposto.
3. Por mais que _____ (tentar), não consigo concentrar-me.
4. Por maiores que _____ (ser) as dificuldades, vamos para a frente com o projeto.
5. Por muito que _____ (dizer), já ninguém acredita nela.
6. Por pouco que _____ (fazer), sente-se logo cansado.
7. Por melhores que _____ (ser) as condições, não mudo de emprego.
8. Por muito dinheiro que _____ (ganhar), nunca lhes chega.
9. Por muito cara que _____ (ser), prefiro comprar uma casa em Lisboa.
10. Por muito cansado que me _____ (sentir), vou continuar a treinar.
11. Por mais que _____ (poupar), nunca têm dinheiro.
12. Por mais que me _____ (pedir), não mudo a minha opinião.
13. Por muito valioso que _____ (ser), não vendo o quadro.
14. Por muita falta que me _____ (fazer), empresto-te o dinheiro.
15. Por mais que eu _____ (querer), não consigo perdoar-lhe.

5.2. Transforme as seguintes frases como no exemplo.

1. Ele pode comer muito, mas continua magríssimo.
   Por muito que coma, continua magríssimo.
2. Podes chorar, mas não te faço a vontade.
   Por muito que _____
3. Estou farto de pensar, mas não consigo lembrar-me do nome.
   Por _____
4. Mesmo sendo uma viagem muito longa, prefiro ir e vir no mesmo dia.
   _____
5. A mãe está sempre a dar-lhe conselhos, mas ela só faz o que quer.
   _____
6. Ele vai a correr, mas já não apanha o autocarro.
   _____
7. Ela não se sente nada bem, mas não quer ir ao médico.
   _____
8. Eu quero mesmo ajudá-la, mas ela não deixa.
   _____
9. Custa-me muito, mas não volto a emprestar-te dinheiro.
   _____
10. Ela é muito famosa, mas continua a ser uma pessoa simples.
    _____
11. Ele esforça-se imenso, mas não consegue aprender línguas.
    _____
12. Apesar do miúdo ser muito esperto, vão descobrir que foi ele.
    _____

presente do conjuntivo em orações relativas

◇ Usamos o **presente do conjuntivo** em **orações relativas** cujo antecedente é **indefinido** ou **indeterminado**. A oração principal tem o verbo no presente do indicativo ou no imperativo e a oração relativa tem o verbo no presente do conjuntivo.

Exprimimos, deste modo, uma ação que ainda não aconteceu e, como tal, uma incerteza, um desejo.

presente do indicativo		antecedente indefinido	relativo	presente do conjuntivo	
Precisamos	de	*uma empregada*	que	**seja**	eficiente

imperativo	antecedente indefinido	relativo	presente do conjuntivo	
Compra-me	*um bolo*	que	**tenha**	chocolate

Quero comprar *uma casa que* **fique** fora de Lisboa.
Vamos estudar para *uma sala onde* **haja** menos barulho.
Preciso de tomar *qualquer coisa que* me **tire** a sede.
Não conheço *ninguém que* **fale** tantas línguas como ele.
Vou à livraria comprar *um livro que* **tenha** tudo sobre culinária.

— Não há *ninguém que* me **possa** dar uma informação?
— Só um momento, por favor.

— Tem *horas que* me **diga**?
— São 10h30.

— Tens *uma caneta que* me **emprestes**?
— Toma lá.

Compare:

Vou a [*um supermercado*] que **fique** perto de casa → **conjuntivo**
antecedente indefinido

Vou [*ao supermercado*] que **fica** perto de casa → **indicativo**
antecedente definido

Ando à procura [*dum livro*] que **fale** da revolução → **conjuntivo**
antecedente indefinido

Ando à procura [*do livro*] que **fala** da revolução → **indicativo**
antecedente definido

6.1. Complete com o **presente do conjuntivo**.

1. — Há alguém que me _____ (dar) uma informação?

   — Só um momento, por favor.

2. — Tem uma caneta que me _____ (poder) emprestar?

   — Aqui tem.

3. — Há algum lugar de onde se _____ (ver) bem?

   — Há um, na segunda fila.

4. — Não há ninguém que _____ (ir) ao banco?

   — Vou eu.

5. — Há alguma casa que _____ (estar) vaga em agosto?

   — Já não há nenhuma.

6.2. Complete com o **presente do indicativo** ou do **conjuntivo**.

1. Vamos ver um filme que não _____ (ser) muito pesado.

2. Gosto dos filmes que não _____ (ter) violência.

3. Vou alugar aquela casa que _____ (ficar) perto da praia.

4. Prefiro conduzir um carro que _____ (ter) direção assistida.

5. Preciso do produto que _____ (tirar) as manchas de ferrugem.

6. Ela quer uma boneca que _____ (falar) e que _____ (andar).

7. Não consigo encontrar umas calças que me _____ (servir).

8. Vamos àquele restaurante que _____ (ter) sempre peixe fresco.

9. Tragam-me qualquer coisa que se _____ (comer).

10. Não conhecemos ninguém que _____ (saber) tanto do assunto como ele.

11. Empresta-me aquela borracha que _____ (apagar) tinta.

12. Passa-me o sal que _____ (estar) ali em cima da mesa.

13. Preciso de comprar uns sapatos que _____ (ser) confortáveis.

14. Estão a contratar pessoas que _____ (conhecer) bem a região.

15. Pode apresentar-me a alguém que _____ (falar) português?

6.3. Faça frases como no exemplo.

1. Gosto de laranjas com muito sumo.

   Gosto de laranjas que tenham muito sumo.

2. Ela prefere calças justas.

   _____

3. Há alguém sem acesso à internet?

   _____?

4. Prefiro morar numa casa fora da cidade.

   _____

5. Eles querem contratar uma empregada com boas referências.

   _____

6. Vamos a um restaurante perto da praia.

◇ Usamos o **presente do conjuntivo** depois de expressões como **onde quer que**, **quem quer que**, **o que quer que**, etc., e da conjunção alternativa **quer… quer**. O conteúdo da frase assim introduzida não é de maneira nenhuma importante para a concretização da ação na oração principal, reforçando, no entanto, a ideia que esta expressa.

	quer	que	presente do conjuntivo
Quem, a quem, de quem (…) Onde, por onde, para onde (…) O que Quando			
Qualquer Quaisquer			

☐ Exprime uma ação eventual, globalmente hipotética, integrando todas as alternativas possíveis, mas que não alteram a concretização da ação expressa na oração principal.

Quem quer que venha, será bem recebido.
> Isto é, receberemos toda a gente com todo o prazer.

Para onde quer que vá, leva sempre a máquina fotográfica.
> Isto é, ele leva a máquina fotográfica para todo o lado.

O que quer que coma, faz-me mal.
> Isto é, não posso comer nada. Tudo me faz mal.

Qualquer que seja a pergunta, ele tem sempre resposta.
> Isto é, ele tem sempre resposta para todas as perguntas.

Quer	presente do conjuntivo	quer	presente do conjuntivo ou advérbio de negação "não"

☐ Exprime uma identidade entre duas alternativas que, no entanto, não afetam o resultado final, isto é, não impedem a concretização da ação expressa na oração principal.

Quer esteja a trabalhar **quer esteja** de férias, levanta-se cedo.
> Isto é, ele levanta-se sempre cedo, mesmo de férias.

Quer queiras quer não, vais ter de me ouvir.
> Isto é, vais ter de me ouvir, mesmo que não queiras.

Quer percam quer ganhem o jogo, já estão apurados para a fase seguinte.
> Isto é, independentemente do resultado do jogo, eles já estão apurados para a fase seguinte.

7.1. Complete com o **presente do conjuntivo**.
1. Quem quer que _____ (vir), será bem-vindo.
2. Ele faz o que quer que _____ (ser) para conseguir o emprego.
3. Para onde quer que _____ (ir), divertem-se sempre.
4. Por onde quer que _____ (vir), apanham sempre trânsito.
5. O que quer que _____ (dizer), já ninguém acredita em ti.
6. Quem quer que _____ (telefonar), diz que eu não estou.
7. Quando quer que eles _____ (chegar), estaremos em casa.
8. Qualquer que _____ (ser) o problema, é melhor contares-me.
9. Dou o meu bilhete a quem quer que o _____ (querer).
10. Espero que sejas feliz com quem quer que _____ (casar).
11. Onde quer que o dinheiro _____ (estar), está bem escondido. Ninguém o consegue encontrar.
12. O cão come o que quer que lhe _____ (dar).
13. Quaisquer que _____ (ser) as dificuldades, temos de enfrentá-las.
14. Quem quer que _____ (responder) ao anúncio, tem de ser entrevistado.
15. O que quer que tu _____ (fazer), tem de ser bem feito.

7.2. Complete com o **presente do conjuntivo**.
1. Quer _____ (gostar) quer não, tens de ir ao dentista.
2. Vamos ao jogo, quer _____ (chover) quer _____ (fazer) sol.
3. Quer eles _____ (estar) em casa quer não, vou até lá.
4. Vocês têm de pagar, quer _____ (querer) quer não.
5. Quer _____ (ir) a vossa casa quer _____ (ficar) aqui, temos de comprar qualquer coisa para comer.
6. Quer _____ (vir) comigo quer _____ (ir) com eles, tens sempre de te levantar cedo.
7. Quer ele _____ (esforçar-se) quer não, não consegue ser promovido.
8. Quer _____ (saber) a resposta quer não, tens de estar calada.
9. Ela está sempre com frio quer _____ (vestir) a camisola quer _____ (pôr) o casaco.
10. Quer _____ (deitar-se) cedo quer não, estou sempre cheio de sono.

7.3. Faça frases como no exemplo.
1. onde / estar // hei de encontrá-los.
   Onde quer que estejam hei de encontrá-los.
2. qualquer / ser / a prenda // acho que vou gostar.

   _____
3. o que / (tu) dizer // agora não tem importância.

   _____
4. quem / fazer / isso // tem de fazê-lo bem.

   _____
5. aonde / (eles) ir // encontram-se sempre.

   _____
6. a quem / (tu) perguntar // a resposta será a mesma.

   _____

7.4. Faça frases como no exemplo.
1. quer... quer / querer // têm de fazer o teste.
   Quer queiram quer não, têm de fazer o teste.
2. quer... quer / (nós) chegar a horas / atrasar-se // o chefe nunca está satisfeito.

   _____
3. quer... quer / haver aulas // tenho de ir à faculdade.

   _____
4. quer... quer / perder / ganhar // o João joga no *euromilhões* todas as semanas.

   _____
5. quer... quer / (tu) vir // estou em casa o dia todo.

   _____
6. quer... quer / (ela) estar doente // tem de ir trabalhar.

   _____

19

indicativo e conjuntivo com verbos de opinião e expressões de certeza e evidência

◇ Depois de **verbos de opinião** na forma **afirmativa** usamos o **indicativo**; na **negativa** usamos o **conjuntivo**.

verbos de opinião			
afirmativa	achar crer julgar	+ que	**indicativo**
negativa	parecer pensar		**conjuntivo**

Acho que ela **está** com febre.	**indicativo**
Não acho que ela **esteja** com febre.	**conjuntivo**
Creio que hoje **fico** em casa.	**indicativo**
Não creio que hoje **fique** em casa.	**conjuntivo**
Julgo que **vai** chover.	**indicativo**
Não julgo que **vá** chover.	**conjuntivo**
Parece-me que **estás** muito preocupado.	**indicativo**
Não me parece que **estejas** muito preocupado.	**conjuntivo**
Penso que **posso** resolver o assunto.	**indicativo**
Não penso que **possa** resolver o assunto.	**conjuntivo**

◇ Depois de **expressões** que exprimem **certeza** ou **evidência**, usamos o **indicativo** quando estão na **afirmativa** e o **conjuntivo** quando estão na **negativa**.

expressões de certeza e evidência			
afirmativa	é certo é claro é evidente	+ que	**indicativo**
negativa	é lógico é óbvio é verdade		**conjuntivo**

É certo que ele **é** bom aluno.	**indicativo**
Não é certo que ele **seja** bom aluno.	**conjuntivo**
É evidente que ela **está** a mentir.	**indicativo**
Não é evidente que ela **esteja** a mentir.	**conjuntivo**
É verdade que ele **come** mais que o irmão.	**indicativo**
Não é verdade que ele **coma** mais que o irmão.	**conjuntivo**

8.1. Complete com o **presente do conjuntivo**.
1. Creio que vocês sabem a resposta.
Não creio que ___
2. Julgamos que é necessário contratar mais pessoal.
Não julgamos que ___
3. Penso que o filho dela já tem 10 anos.
Não penso que ___
4. Acho que eles vêm a horas.
Não acho que ___
5. Penso que há muito trânsito a esta hora.
Não penso que ___
6. Acho que tens razão.
Não acho que ___
7. Creio que são horas de saíres.
Não creio que ___
8. Julgo que o tempo vai ficar bom.
Não julgo que ___
9. Acho que estás doente.
Não acho que ___
10. Parece-me que trazem prendas para todos.
Não me parece que ___
11. Julgo que consegues passar no exame.
Não julgo que ___

8.2. Responda como no exemplo.
1. — Achas que devo falar com ele?
— *Não acho que devas falar com ele.*
2. — Pensas que a resposta está correta?
—
3. — Parece-te que essa ideia é boa?
—
4. — Crês que vai estar bom tempo?
—
5. — Julgas que eles chegam a horas?
—
6. — Achas que ela gosta de música clássica?
—

8.3. Complete com o **presente do conjuntivo**.
1. É verdade que ele tem muitos amigos.
Não é verdade que ___
2. É evidente que eles são riquíssimos.
Não é evidente que ___
3. É lógico que eu faço o trabalho sozinho.
Não é lógico que ___
4. É verdade que estás mais gordo.
Não é verdade que ___
5. É certo que o João vem amanhã.
Não é certo que ___
6. É claro que lá nos dão todas as informações.
Não é claro que ___
7. É óbvio que eles sabem do assunto.
Não é óbvio que ___
8. É certo que ele consegue bater o recorde.
Não é certo que ___
9. É lógico que a Ana quer ficar em casa.
Não é lógico que ___
10. É verdade que não tenho tempo.
Não é verdade que ___

indicativo *vs.* conjuntivo

Quero *aquele* bolo que
tem chocolate.

Quero *um* bolo que **tenha**
chocolate.

Compare:

indicativo	conjuntivo
Provavelmente ela não se **sente** bem.	É provável que ela não se **sinta** bem.
É verdade que ele **estuda** mais que o colega.	Não é verdade que ele **estude** mais que o colega.
Pensamos que os resultados **são** positivos.	Não pensamos que os resultados **sejam** positivos.
Acho que **vai** chover.	Não acho que **vá** chover.
Digo-te que eles **têm** muito dinheiro.	Duvido que eles **tenham** muito dinheiro.
Ela afirma que o anel **é** verdadeiro.	Ela nega que o anel **seja** verdadeiro.
Vamos àquele restaurante que **fica** perto da praia.	Vamos a um restaurante que **fique** perto da praia.
Quero o carro que **tem** GPS integrado.	Quero um carro que **tenha** GPS integrado.
Ela **é** boa profissional, mas nunca chega a horas.	Embora **seja** boa profissional, nunca chega a horas.
Se calhar eles só **vêm** amanhã.	Talvez eles só **venham** amanhã.
O João é uma pessoa em quem se **pode** confiar.	Precisamos de alguém em quem se **possa** confiar.
Infelizmente ele não **pode** vir connosco.	Tenho pena que ele não **possa** vir connosco.
Creio que ela **consegue** passar no exame.	Oxalá ela **consiga** passar no exame!

9.1. Complete com os verbos no **presente do indicativo** ou **do conjuntivo**.

1. Hoje não _____ (haver) aulas, ainda que os professores _____ (estar) na escola.
2. Acho que ela talvez _____ (ser) muito ambiciosa, mas _____ (conseguir) sempre o que _____ (querer).
3. Vejo que todos _____ (concordar) com o que eu _____ (dizer).
4. Mesmo que me _____ (pagar) melhor, não _____ (mudar) de emprego.
5. Prefiro que vocês _____ (treinar) lá fora, a não ser que _____ (estar) a chover.
6. Não sei se eles já _____ (saber) as novidades.
7. Receio que não _____ (conhecer) toda a gente que _____ (ir) à tua festa.
8. Quer _____ (querer) quer não, tens de falar com ele.
9. Não conheço nenhuma criança que _____ (ler) tanto como o teu filho.
10. Digo-te que não _____ (valer) a pena comprar os produtos que _____ (ser) mais baratos.
11. Não penso que tu _____ (ter) razão quando _____ (dizer) que ela só _____ (interessar-se) por dinheiro.
12. É bem possível que os aviões _____ (atrasar-se), pois o tempo _____ (estar) péssimo.
13. Caso não _____ (poder) vir, avisa-me sem falta.
14. É provável que ele _____ (trazer) a família. Nesse caso, eles _____ (ficar) no piso de cima.
15. Embora ela já _____ (falar) fluentemente a língua, ainda _____ (fazer) alguns erros.
16. Quando eu _____ (levar) o carro para o emprego, nunca _____ (encontrar) lugar para estacionar.
17. É claro que preço e qualidade _____ (estar) relacionados.
18. Duvidamos muito que eles _____ (aceitar) o nosso convite.
19. Por mais que ela _____ (pensar), não _____ (conseguir) resolver o problema.
20. Ele não _____ (parar) de comer. Oxalá não lhe _____ (fazer) mal!

9.2. **Presente do indicativo** ou **do conjuntivo**?

Este ano, eu e os meus amigos _____ (querer) ir de férias para um sítio diferente. Se bem que ainda não _____ (ter) muito dinheiro, já _____ (dar) para irmos até ao Sul de Espanha, pois _____ (andar) a poupar há vários meses. Claro que por mais que se _____ (poupar) o dinheiro _____ (parecer) que nunca _____ (ser) suficiente, mas, como _____ (dizer) o meu amigo Hugo, _____ (haver) de conseguir. Tomara que ele _____ (estar) certo!
É óbvio que não _____ (poder) ir para hotéis de luxo; o mais provável é que _____ (ficar) num motel ou _____ (ter) mesmo de acampar, mas o que _____ (interessar) é a aventura. É claro que _____ (ter) de ser um lugar onde _____ (haver) praia – isso _____ (ser) essencial! – e já agora onde _____ (poder) conhecer pessoas da nossa idade que, como nós, _____ (estar) lá de férias e _____ (querer) fazer novas amizades.
Já _____ (estar) tudo planeado: _____ (ir) na última semana de julho e _____ (ficar) até que o dinheiro _____ (acabar), uma a duas semanas, no máximo. Que pena que não _____ (dar) para mais!

indicativo / conjuntivo / infinitivo

indicativo vs. conjuntivo

◇ O modo **indicativo** indica uma ação ou um facto tido como **certo**, **real**, enquanto que, em regra, o **conjuntivo** expressa uma ação ou um facto **eventual**, isto é, cuja existência ou não existência é **incerta**, **duvidosa** ou mesmo **irreal**.

Compare:

indicativo	conjuntivo
Eles só **vêm** amanhã. É evidente que ela não se **sente** bem. Quero a gramática que **tem** exercícios.	Talvez eles só **venham** amanhã. É provável que ela não se **sinta** bem. Quero uma gramática que **tenha** exercícios.

consecutivas: iniciam uma oração na qual se indica a consequência do que é declarado na oração anterior.		
de (tal) forma que de (tal) maneira que de (tal) modo que	+ presente do indicativo	exprime uma realidade
	+ presente do conjuntivo	exprime uma eventualidade

◇ Com estas locuções conjuncionais usamos:

☐ o **indicativo** quando pretendemos exprimir um facto, uma **certeza**.

Ele fala *de modo que* toda a gente o **compreende**.
(É um facto que, quando ele fala, toda a gente o compreende).

☐ o **conjuntivo** quando queremos exprimir uma intenção, um fim a que se pretende chegar e, como tal, **não há certeza** da sua concretização.

Ele vai falar *de modo que* toda a gente o **compreenda**.
(Ele ainda não falou, portanto, não há certeza de que toda a gente o vá compreender).

conjuntivo vs. infinitivo

	conjunções e locuções conjuncionais	preposições e locuções prepositivas
concessivas	embora, ainda que, se bem que, …	apesar de, …
condicionais	caso, sem que, …	no caso de, sem, …
finais	a fim de que, de forma a que, para que, …	a fim de, de forma a, para, …
temporais	antes que, depois que, até que, …	antes de, depois de, até, …

▼ **presente do conjuntivo** ▲   ▼ **infinitivo pessoal** ▲

expressões impessoais	É essencial que É importante que É necessário que É melhor que É preferível que …	É essencial É importante É necessário É melhor É preferível …

Embora já **sejam** 10 horas, ainda há muito trânsito. *vs. Apesar de* já **serem** 10 horas, ainda há muito trânsito.
Caso **tenha** tempo, vou ter contigo. *vs. No caso de* **ter** tempo, vou ter contigo.
Apanhem um táxi, *para que* não **cheguem** atrasados. *vs.* Apanhem um táxi, *para* não **chegarem** atrasados.
Vou ao supermercado, *antes que* **comece** a chover. *vs.* Vou ao supermercado *antes de* **começar** a chover.
É melhor que me **digas** a verdade. *vs. É melhor* **dizeres**-me a verdade.

10.1. Complete com os verbos no **presente do indicativo** ou **do conjuntivo**.

1. Esta semana não _____ (haver) aulas; _____ (ser) as férias da Páscoa.
2. Talvez _____ (ser) por timidez, mas ela não _____ (ser) nada simpática.
3. Não creio que ela _____ (querer) mudar de emprego, mesmo que _____ (ir) ganhar mais.
4. Andamos à procura duma casa que _____ (ter) vista para o mar.
5. Eles compraram uma casa que _____ (ter) vista para o mar.
6. Eles _____ (preferir) guiar de noite; oxalá a viagem _____ (correr) bem!
7. Espero que tu não _____ (importar-se) de guiar de noite. Eu até _____ (preferir).
8. É natural que ele não _____ (lembrar-se) de mim, pois não me _____ (ver) há anos.
9. Por mim, _____ (poder) alugar um filme, a não ser que vocês _____ (querer) antes ir ao cinema.
10. Duvido que ela _____ (vir) sozinha; nunca _____ (deixar) os filhos com ninguém!

10.2. Presente do indicativo ou **do conjuntivo**?

1. Conduzes de tal maneira que ninguém _____ (querer) ir contigo de carro.
2. Não conduzas de forma que as pessoas _____ (ter) medo de andar contigo.
3. Coloca o quadro de maneira que todos _____ (ver) bem.
4. Colocaram o quadro de modo que todos _____ (ver) bem.
5. Ele fala de tal forma que as pessoas _____ (ficar) convencidas.
6. Tens de falar de maneira que as pessoas _____ (ficar) convencidas.

10.3. Complete com os verbos no **presente do conjuntivo** ou no **infinitivo pessoal**.

1. Não é provável que eles _____ (aceitar) essas condições, apesar de _____ (precisar) muito do empréstimo.
2. Antes de _____ (instalar) o ar condicionado, é melhor tu _____ (ler) as instruções, para que _____ (ficar) a funcionar bem.
3. Caso não _____ (poder) comparecer à entrevista, convém que nos _____ (avisar) com antecedência, a fim de _____ (contactar) outro candidato.
4. Embora as sondagens _____ (dar) vantagem à Lista A, até que se _____ (concluir) a contagem dos votos, não é possível _____ (saber) quem ganhou as eleições.
5. Sem que se _____ (saber) o resultado dos exames, é impossível _____ (fazer) o diagnóstico clínico.

10.4. Complete o texto com os verbos no **presente do indicativo**, **presente do conjuntivo** ou **infinitivo pessoal**.

Eles _____ (ir) alugar uma casa de férias. Embora a imobiliária já _____ (estar) a tratar do contrato de arrendamento, eles _____ (querer) consultar um advogado antes de o _____ (assinar), para que este _____ (confirmar) que _____ (estar) tudo de acordo com a lei. Caso _____ (haver) alguns aspetos menos claros, é conveniente que _____ (ficar) tudo bem explícito, ainda que isso _____ (poder) implicar um atraso na entrega das chaves. Por outro lado, _____ (haver) ainda a questão do fiador, isto é, alguém que _____ (responsabilizar-se) pelo pagamento da renda no caso de o arrendatário não _____ (cumprir) com as suas obrigações.

pretérito imperfeito do conjuntivo

◇ Forma-se a partir da 3.ª pessoa do plural do pretérito perfeito simples do indicativo (p.p.s.), a que se retira a terminação **-ram** e se acrescenta **-sse**. Não há exceções.

p.p.s.		imperfeito do conjuntivo
	3.ª pessoa do plural	**1.ª pessoa do singular**
estar	estive**ram**	estive**sse**
ver	vi**ram**	vi**sse**
abrir	abri**ram**	abri**sse**
pôr	puse**ram**	puse**sse**

imperfeito do conjuntivo

	-ar	**-er**	**-ir**
eu	fala**sse**	come**sse**	abri**sse**
tu	fala**sses**	come**sses**	abri**sses**
você ele ela	fala**sse**	come**sse**	abri**sse**
nós	falá**ssemos**	comê**ssemos**	abrí**ssemos**
vocês eles elas	fala**ssem**	come**ssem**	abri**ssem**

◇ Usamos o **imperfeito do conjuntivo** em frases **exclamativas** para exprimir um **desejo** e em frases **comparativas** para traduzir **situações irreais** ou **hipotéticas**.

situação factual	desejo (sobre uma situação que não se verifica no presente)
Os meus pais estão no estrangeiro. Ela não pode vir à festa. Não tenho dinheiro para as férias.	*Quem me dera que* **estivessem** cá! *Oxalá* **pudesse** vir! *Tomara que* **tivesse**!

situação factual	situação irreal/hipotética
Ele parece um macaco a subir às árvores.	Ele sobe às árvores *como se* **fosse** um macaco. (Ele não é um macaco.)
Ela fala tão bem francês que até parece francesa.	Ela fala francês *como se* **fosse** francesa. (Ela não é francesa.)

11.1. Complete as frases exclamativas com o **imperfeito do conjuntivo**.

1. A Ana quer fazer dieta, mas acha que vai ser difícil habituar-se a comer menos.
   Oxalá ela não *gostasse tanto de comer!* (gostar)
2. O João gostava de tirar a carta de condução, mas não tem dinheiro para isso.
   Quem me dera que ele _____ (ter)
3. O Paulo tem de aprender inglês, mas acha que não vai conseguir.
   Tomara que ele _____ (conseguir)
4. A Joana quer ser bailarina, mas não pode, porque é muito alta.
   Oxalá ela _____ (poder)
5. Ele preocupa-se imenso com os problemas lá no emprego.
   Tomara que ele não _____ (preocupar-se)
6. Ela não vem connosco. Tem exame amanhã.
   Quem me dera que ela _____ (vir)
7. Ele fuma muito e não consegue deixar de fumar.
   Tomara que ele _____ (deixar)
8. Vivemos muito longe de Lisboa.
   Oxalá nós _____ (viver)
9. Estou cheio de febre. Não me sinto nada bem.
   Quem me dera que tu não _____ (estar)
10. Já estou velha para ir a discotecas.
    Oxalá eu _____ (ser)

11.2. Complete as frases comparativas com o **imperfeito do conjuntivo**.

1. Da maneira como fala até parece que percebe muito do assunto.
   Ele fala como se *percebesse muito do assunto* .
2. Eles tratam-me tão bem. Até parece que sou filho deles.
   Eles tratam-me como se _____.
3. Ele porta-se sempre mal. Até parece uma criança.
   Ele porta-se como se _____.
4. Não gosto do Rui. Tem a mania que sabe tudo.
   Fala como se _____.
5. Ele ignora-me completamente. Até parece que eu não existo.
   Ele ignora-me como se _____.
6. Ela gasta muito dinheiro. Até parece que nasce das árvores.
   Ela gasta dinheiro como se _____.

11.3. Complete com o verbo no **imperfeito do conjuntivo**.

1. Ela não me conhece. Então porque é que sorriu para mim como se me _____?
2. O Sr. Teixeira só tem 50 anos, mas estão a falar dele como se _____ 80 anos.
3. Ele não é o meu patrão, mas às vezes age como se _____.
4. Não fazes anos hoje, mas é como se _____. Toma lá esta prenda.
5. Está imenso frio. É como se (nós) _____ no inverno.
6. Ela não gosta de bacalhau, mas até está a comer como se _____.

© LIDEL EDIÇÕES TÉCNICAS

Se **fosse** milionário, comprava um iate.

◇ Usamos o **imperfeito do conjuntivo** em orações condicionais introduzidas pela conjunção **se**, em que a condição expressa é irreal, imaginária ou hipotética.

oração subordinada	oração subordinante
se + imperfeito do conjuntivo	**imperfeito do indicativo** ou **condicional presente**

Se eu **fosse** a ti, não **interferia** nesse assunto.
«Se eu fosse a ti» significa que de facto não sou nem poderei ser. É uma condição totalmente irreal e, como tal, a 2.ª parte da frase – «não interferia nesse assunto» – não se concretiza.

Se eu **fosse** milionário, **comprava** um iate.
«Se eu fosse milionário» significa que de facto não sou milionário e que estou apenas a imaginar. É uma condição imaginária, irreal, que não se verifica no presente e, portanto, a 2.ª parte da frase – «comprava um iate» – não se concretiza.

Se **levássemos** o carro, **chegávamos** lá mais depressa.
«Se levássemos o carro» significa que *levar o carro* é uma mera hipótese que teria como consequência «chegar mais depressa» ao destino. Esta situação pode traduzir:
a) uma hipótese não concretizável, porque o carro não está disponível, por exemplo;
b) uma hipótese concretizável, isto é, uma sugestão que venha a ser aceite, concretizando-se assim a ação expressa na 2.ª oração.

Vejamos, então, as duas situações em contexto:

a) hipótese não concretizável
— Se levássemos o carro, chegávamos lá mais depressa.
— Pois era, mas o carro está na oficina.

b) hipótese concretizável
— Se levássemos o carro, chegávamos lá mais depressa.
— Boa ideia. Eu peço o carro ao meu pai.

12.1. Complete as frases como no exemplo.

1. A Ana viaja muito. Por isso, passa pouco tempo com a família.
   Se *a Ana não viajasse tanto, passava mais tempo com a família.*
2. O quarto não está arrumado. Não consigo encontrar as minhas coisas.
   Se _____
3. O elevador não funciona. Temos de descer os nove andares a pé.
   Se _____
4. O anel não é de ouro. Por isso, não vale quase nada.
   Se _____
5. Lês pouco. Por isso é que dás tantos erros.
   Se _____
6. Vocês estão sempre a falar durante as aulas. Por isso não aprendem nada.
   Se _____

12.2. Complete as frases de acordo com o exemplo.

1. Não te ajudo, porque não me deixas.
   Se *me deixasses, eu ajudava-te.*
2. Não vou falar com ela, porque não a conheço bem.
   Se _____
3. Não posso fazer o bolo, porque não há ovos.
   Se _____
4. Não respondo ao anúncio, porque não sei alemão.
   Se _____
5. Não me zango contigo, porque fazes hoje anos.
   Se _____
6. Não te peço desculpa, porque não tens razão.
   Se _____

12.3. Complete com o verbo no **imperfeito do conjuntivo**.

1. Se eu _____ (ser) a ti, não me metia nesse assunto.
2. Se ela _____ (estar) aqui, responderia a essa pergunta.
3. Se _____ (ser) mais ambicioso, tentavas arranjar outro emprego.
4. Se eu _____ (ganhar) a lotaria, dava a volta ao mundo.
5. Se _____ (partir) já, chegávamos dentro de uma hora.
6. Se _____ (saber) guiar, comprava um carro.
7. Se ele _____ (pagar) as dívidas, seria mais respeitado.
8. Se te _____ (dar) um milhão de euros, o que é que fazias?
9. Se amanhã vocês _____ (trazer) o carro, podíamos ir passear.
10. Se ela _____ (ver) o filme, ia gostar com certeza.

12.4. O que é que **faria** se **fosse confrontado** com as seguintes situações?

1. Imagine que lhe ofereciam 2 empregos, um interessante e mal remunerado, o outro monótono e bem remunerado. Qual deles é que aceitaria?
   Se _____
2. Imagine que encontrava uma carteira na rua com 150 € e com a identificação da pessoa. O que é que faria?
   Se _____
3. Imagine que, ao chegar a casa, se apercebia de que esta estava a ser assaltada. O que é que fazia?
   Se _____
4. Imagine que um filho ou uma filha sua queria casar com alguém de diferente nacionalidade, raça ou religião. Como é que reagiria?
   Se _____
5. Imagine que via alguém a roubar num supermercado. O que é que faria?
   Se _____

pretérito imperfeito do conjuntivo *vs.* presente do conjuntivo

◇ Usamos o imperfeito do conjuntivo nos mesmos casos do presente do conjuntivo quando o verbo da oração principal está no passado.
Pode traduzir uma ação **presente**, **passada** ou **futura** em relação ao momento em que se fala.

A	**Presente**	*Era bom que* **tivesse** muito dinheiro; deixava já de trabalhar.
B	**Passado**	Na semana passada fui ao médico *para que* me **receitasse** um antibiótico.
C	**Futuro**	*Era ótimo que* não **chovesse** no próximo fim de semana.

presente do conjuntivo	imperfeito do conjuntivo
É preferível que à noite **venhas** de táxi.	**Era preferível** que à noite **viesses** de táxi.
É bom que possam vir todos.	**Era bom que pudessem** vir todos.
Vou falar com ele **para que** me **explique** o que aconteceu.	Fui falar com ele **para que** me **explicasse** o que tinha acontecido.
Embora esteja doente, vou trabalhar.	**Embora estivesse** doente, fui trabalhar.
Tudo tem de estar pronto **antes que** eles **cheguem**.	Tudo tinha de estar pronto **antes que** eles **chegassem**.
Quero comprar **uma camisola que seja** bem quentinha.	Queria comprar **uma camisola que fosse** bem quentinha.
Por **onde quer que vamos** apanhamos sempre trânsito.	Por **onde quer que fôssemos** apanhávamos sempre trânsito.
Quer gostes quer não, tens de comer tudo.	**Quer gostasses quer não**, tinhas de comer tudo.
Tenho pena que não **fiquem** até ao fim.	**Tive pena que** não **ficassem** até ao fim.
Convém que tragam agasalhos.	**Convinha que trouxessem** agasalhos.
Prefiro que ela não **saia** sozinha.	**Preferia que** ela não **saísse** sozinha.
Por mais que tente, não consigo resolver o problema.	**Por mais que tentasse**, não conseguia resolver o problema.
Por pouco que coma, não consegue emagrecer.	**Por pouco que comesse**, não conseguia emagrecer.
Hoje em dia **talvez haja** mais violência na televisão.	Antigamente **talvez houvesse** menos violência na televisão.

13.1. Complete as seguintes frases com o **imperfeito do conjuntivo.**

1. A Joana queria tirar o curso de medicina, mas, para entrar na universidade, era necessário que:

   _____ (ter) notas muito altas;
   _____ (haver) vagas;
   _____ (estudar) muito;
   os pais lhe _____ (pagar) as propinas.

2. Para que o Rui e a Teresa pudessem ir passar o fim de semana a casa de uns amigos, era preciso que:

   _____ (pedir) autorização aos pais;
   o pai lhes _____ (emprestar) o carro;
   _____ (fazer) primeiro os trabalhos de casa;
   _____ (dar) a morada e o telefone da casa dos amigos aos pais.

13.2. Transforme as seguintes frases como no exemplo.

1. Embora não se sinta bem, vai connosco à festa.
   Embora não se sentisse bem, foi connosco à festa.
2. É possível que tenha tempo para acabar o trabalho.
   Era possível que tivesse tempo para acabar o trabalho.
3. Ele acha ótimo que os filhos pratiquem desporto na escola.

   _____

4. Talvez possa ir ao cinema com vocês.

   _____

5. Eles esperam que não seja nada de grave.

   _____

6. Pode ser que o novo método dê resultado.

   _____

7. Tenho pena que ela não esteja cá.

   _____

8. Não há ninguém que me possa ajudar.

   _____

9. Mesmo que seja caro, eu não me importo.

   _____

10. Quero que vás ao supermercado buscar leite.

    _____

11. Não há nada que possas fazer, neste momento.

    _____

12. Por muito que lhe peçam, não vai mudar a sua opinião.

    _____

13. Quer queiras quer não, tens de contar o que se passou.

    _____

14. Prefiro mudar para uma casa onde haja menos barulho.

    _____

15. Quero tanto que venhas à minha festa!

    _____

13.3. Complete o texto com os verbos no **imperfeito do indicativo** ou no **imperfeito do conjuntivo.**

Ontem, o Afonso teve um desentendimento com uma colega no escritório, mas quis resolver a questão antes de sair. Enquanto arrumava a secretária, pensava:

«O que me _____ (apetecer) agora, _____ (ser) ir para casa. Mas talvez _____ (dever) falar com ela primeiro para que _____ (poder) resolver a situação. Se _____ (conseguir) esclarecer tudo, _____ (ficar) de certeza mais bem-disposto e não _____ (pensar) mais no assunto.
E se ela não _____ (querer) falar comigo? Não, isso não. Por muito que lhe _____ (custar), _____ (ter) de me ouvir. Quer _____ (gostar) quer não, _____ (ter) de me dar uma oportunidade.
E se ela já não _____ (estar) no escritório? Então _____ (voltar) tudo à estaca zero e amanhã _____ (tomar) uma decisão antes que _____ (ser) tarde demais.»

Quando **forem** 7 horas, acorda-me.

◇ Encontra-se a 1.ª pessoa do singular do futuro do conjuntivo, retirando a desinência **-am** da 3.ª pessoa do plural do pretérito prefeito simples do indicativo (p.p.s.). Não há exceções.

p.p.s.		futuro do conjuntivo
	3.ª pessoa do plural	**1.ª pessoa do singular**
comprar	compr**am**	comprar
trazer	trouxer**am**	trouxer
ir	for**am**	for
pôr	puser**am**	puser

futuro do conjuntivo		
	-ar	**-er**	**-ir**
eu	comprar	beber	abrir
tu	comprar**es**	beber**es**	abrir**es**
você ele ela	comprar	beber	abrir
nós	comprar**mos**	beber**mos**	abrir**mos**
vocês eles elas	comprar**em**	beber**em**	abrir**em**

◇ Usamos o **futuro do conjuntivo** depois de determinadas **conjunções / locuções** para expressar uma ação no futuro.

Assim que **chegarem** ao aeroporto, telefonem-me.
Logo que me **sentir** melhor, vou trabalhar.
Enquanto **estiveres** com febre, não podes sair.
Tenciono visitar-vos, *sempre que* **puder**.
Todas as vezes que **vier** a Portugal, vou lembrar-me de vocês.
Quando **forem** 7h00, acorda-me.
Faz *como* **quiseres**.
Trate do assunto *conforme* **achar** melhor.
Se **perguntarmos** a um polícia, ele indica-nos o caminho.

14.1. Complete com os seguintes verbos no **futuro do conjuntivo**.

1. ser / eu _for_
2. falar / nós _falarmos_
3. pôr / ele _puser_
4. saber / elas _souberem_
5. vender / tu _venderes_
6. ver / você _vir_
7. ir / ela _for_
8. trazer / vocês _trouxerem_
9. partir / eu _partir_
10. querer / eles _quiserem_
11. ler / nós _lermos_
12. dar / tu _deres_
13. pedir / ele _pedir_
14. vir / nós _viermos_
15. poder / tu _puderes_
16. dizer / você _disser_
17. dormir / eles _durmirem_
18. ter / eu _tiver_
19. estar / ela _estiver_
20. pôr / vocês _puserem_
21. vir / eles _vierem_
22. ir / nós _formos_
23. trazer / ele _trouxer_
24. ser / tu _fores_

14.2. Complete com os verbos no **futuro do conjuntivo**.

1. Assim que _terminarem_ (terminar) o teste, podem sair.
2. Se ainda _____ (haver) bilhetes, comprem um para mim.
3. Logo que nos _____ (mudar), aviso-te.
4. Todas as vezes que _____ (errar) uma conta, tens de fazer tudo de novo.
5. Enquanto não _____ (pôr) os óculos, continuas com dores de cabeça.
6. Se vocês _____ (querer), podem passar cá o fim de semana.
7. Assim que _____ (chegar) a casa, vou-me deitar. Estou estafada.
8. Sempre que _____ (ir) a Coimbra, vou visitar-te.
9. Enquanto _____ (ser) bem tratado, não vejo razão para me despedir.
10. Tratem do assunto conforme _____ (querer).
11. Se eles _____ (vir) de comboio, não apanham trânsito.
12. Quando _____ (ser) grande, quero ser médico.
13. Vão ficar muito satisfeitos quando _____ (saber) as novidades.
14. Enquanto os transportes públicos _____ (estar) em greve, temos de levar o carro.
15. — Vem trabalhar amanhã?
    — Depende de como me _____ (sentir): se _____ (estar) melhor, vou;
    se _____ (ter) febre, continuo em casa.

14.3. Complete as frases com os verbos no **futuro do conjuntivo**.

1. De certeza que vais gostar quando _ouvires esta música._ (ouvir / música)
2. Traz-me um bolo se _____ (ir / café)
3. Não podes avançar enquanto _____ (sinal / estar / vermelho)
4. Vou ter saudades vossas todas as vezes que _____ (ver / fotografias)
5. Dou-te uma prenda quando _____ (fazer / anos)
6. Faz o trabalho como _____ (achar / melhor)

14.4. Transforme as seguintes frases, usando a **conjunção / locução** dada, seguida do **futuro do conjuntivo**.

1. Chegando a Lisboa, telefono-vos.
   Quando _chegar a Lisboa, telefono-vos._
2. Indo no comboio das 21h00, chego lá por volta da meia-noite.
   Se _____
3. Em tendo tempo, vamos visitar-te.
   Assim que _____
4. Não me sentindo melhor, amanhã vou ao médico.
   Se _____
5. Pondo os óculos, vês melhor.
   Se _____
6. Sendo meia-noite, cantamos os parabéns.
   Quando _____

◇ Usamos o futuro do conjuntivo depois de:

☐ pronomes relativos invariáveis **quem** e **onde**, sem antecedentes expressos.

> **Quem** <u>vier</u> depois da hora, não pode entrar.
> Fico, **onde** vocês <u>ficarem</u>.

☐ pronome relativo invariável **que**, com antecedente.

> **Aquele** que <u>vier</u> depois da hora, não poderá entrar.
> [Quem]

> Fico **em qualquer lugar que** vocês <u>ficarem</u>.
> [onde]

> Irei para **qualquer lugar que** vocês <u>quiserem</u>.
> [para onde]

> Vá **a qualquer lugar que** eu lhe <u>indicar</u>.
> [aonde]

◇ Exprimimos, deste modo, uma situação eventual no futuro, isto é, uma situação que poderá ou não acontecer no futuro.

◇ A frase relativa tem o verbo no **futuro do conjuntivo** e a frase principal pode ter o verbo no **presente do indicativo**, **futuro do indicativo** ou **imperativo**.

frase principal	frase relativa
presente do indicativo	
futuro do indicativo	futuro do conjuntivo
imperativo	

<u>Fico</u> **onde** vocês <u>ficarem</u>.
(pres. ind.)   (fut. conj.)

<u>Irei</u> **para onde** vocês <u>quiserem</u>.
(fut. ind.)   (fut. conj.)

<u>Vá</u> **aonde** eu lhe <u>indicar</u>.
(imp.)   (fut. conj.)

15.1. Complete com o verbo no **futuro do conjuntivo**.

1. Todas as pessoas que _____ (ser) convidadas, serão bem recebidas.
2. Vou aonde vocês _____ (ir).
3. Dá-se uma gratificação a quem _____ (encontrar) a carteira.
4. Podes escolher o tema que _____ (querer).
5. Quem _____ (estar) contra, levante a mão.
6. Faça o melhor que _____ (poder).
7. Aqueles que me _____ (ajudar), serão recompensados.
8. Quem _____ (ter) dúvidas, fala comigo.
9. Ele irá aonde nós o _____ (mandar).
10. Tudo o que ele _____ (dizer) sobre nós, é mentira.

15.2. Transforme as seguintes frases como no exemplo.

1. Todos os participantes do curso ficarão habilitados a uma bolsa de estudo. (a) todos os que / (b) quem
   a) Todos os que participarem no curso, ficarão habilitados a uma bolsa de estudo.
   b) Quem participar no curso, ficará habilitado a uma bolsa de estudo.
2. Sentem-se nos lugares indicados por mim. (onde)
   _____
3. Só as pessoas com muita paciência conseguem resolver esse enigma. (a) quem / (b) aqueles que
   a) _____
   b) _____
4. Os primeiros a chegar poderão escolher os melhores lugares. (a) os que / (b) quem
   a) _____
   b) _____
5. Os candidatos ao lugar terão de se submeter a uma entrevista. (a) quem / (b) todos aqueles que
   a) _____
   b) _____
6. Os interessados devem inscrever-se até ao fim do mês. (a) aqueles que / (b) quem
   a) _____
   b) _____

15.3. Transforme as seguintes frases de modo a usar um **pronome relativo** e o verbo no **futuro do conjuntivo**.

1. Pode experimentar **qualquer perfume**.
   Pode experimentar o perfume que quiser.
2. O professor dará um prémio ao **aluno com melhores notas**.
   _____
3. Podem fazer um desenho sobre **qualquer tema**.
   _____
4. Vou gravar **toda a vossa conversa**.
   _____
5. Vou com vocês **a qualquer lugar**.
   _____

presente e futuro do conjuntivo em orações concessivas com repetição do verbo

◇ Usamos o **presente do conjuntivo + elemento de ligação + futuro do conjuntivo**, com repetição do verbo, para expressar uma concessão absoluta, uma ausência total de condições. A ação expressa na frase principal – verbo no indicativo ou imperativo – realizar-se-á independentemente da dificuldade ou do obstáculo expressos na frase anterior.

presente do conjuntivo	elemento de ligação	futuro do conjuntivo	frase principal
Seja	quem	**for,**	não abres a porta.
Comas	o que	**comeres,**	não consegues emagrecer.
Digam	o que	**disserem,**	não faças caso.
Esteja	onde	**estiver,**	hei de encontrá-la.
Faças	como	**fizeres,**	ficará bom com certeza.
Haja	o que	**houver,**	temos de manter a calma.
Ouças	o que	**ouvires,**	não prestes atenção.
Sejam	quantos	**forem,**	podem entrar todos.
Vá	por onde	**for,**	há sempre muito trânsito.
Venha	quem	**vier,**	será bem recebido.

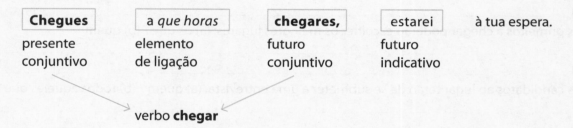

Chegues	a *que horas*	**chegares,**	estarei	à tua espera.
presente conjuntivo	elemento de ligação	futuro conjuntivo	futuro indicativo	

verbo **chegar**

Ele pode chegar cedo ou chegar tarde, mas, em qualquer dos casos, estarei à espera dele.

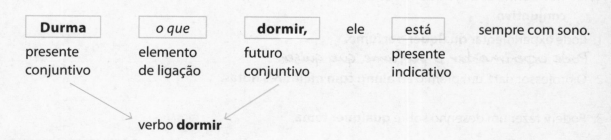

Durma	*o que*	**dormir,**	ele	está	sempre com sono.
presente conjuntivo	elemento de ligação	futuro conjuntivo		presente indicativo	

verbo **dormir**

Ele pode dormir muito ou dormir pouco, mas, em qualquer dos casos, está sempre com sono.

16.1. Complete com o verbo na forma correta.

1. Digas o que _____, já não acredito em ti.
2. _____ quem vier, será bem-vindo.
3. Vá para onde _____, leva sempre o cão.
4. _____ com quem falar, ninguém me dá as informações corretas.
5. _____ a que horas chegarem, vamos buscá-los à estação.
6. Tragas o que _____, vou gostar com certeza.

16.2. Transforme as seguintes frases como no exemplo.

1. Não abras a porta *a quem quer que seja*.
   Seja a quem for, não abras a porta.
2. O que quer que vista, tudo lhe fica bem.

_____

3. Vou ter contigo onde quer que estejas.

_____

4. O que quer que digas, tens sempre razão.

_____

5. Podem contar comigo para o que quer que seja.

_____

6. Por onde quer que vás, há sempre muito trânsito.

_____

16.3. Complete com os verbos dados na forma correta.

1. _____ o que _____, têm de estar preparados. (haver)
2. _____ a quem _____, ninguém te dará uma resposta convincente. (perguntar)
3. _____ o que _____, temos de ganhar esta prova. (custar)
4. _____ onde _____, vou ter com vocês. (estar)
5. _____ quando _____, estou em casa à vossa espera. (vir)
6. _____ quais _____ as consequências, vou já esclarecer este assunto. (ser)
7. _____ o que _____, gasto sempre tudo. (ganhar)
8. _____ o que _____, ela nunca engorda. (comer)
9. _____ como _____, vais chegar atrasado. (ir)
10. _____ com quem _____, é sempre muito simpático. (falar)
11. _____ o que _____, não prestes atenção. (ouvir)
12. _____ o que _____, podes contar sempre comigo. (acontecer)
13. _____ o que _____, o chefe nunca está satisfeito com o meu trabalho. (fazer)
14. _____ o que _____, os pais nunca lhe recusam nada. (pedir)
15. _____ o que _____, vai todos os sábados ao casino. (perder)

16.4. Altere as frases de modo a usar uma oração concessiva com repetição do verbo.

1. Deite-me cedo ou deite-me tarde, acordo sempre às 7h00.

_____

2. Esforce-se muito ou esforce-se pouco, ninguém reconhece o seu valor.

_____

3. Podem falar comigo ou com qualquer outra pessoa, que a resposta será sempre a mesma.

_____

4. Até podes pensar de maneira diferente, mas as regras são para cumprir.

_____

5. Há quem diga bem e quem diga mal, mas para mim é o melhor jogador de todos os tempos.

_____

se com futuro do conjuntivo

◇ Usamos o **futuro do conjuntivo** em orações condicionais introduzidas pela conjunção *se*, em que a condição expressa é uma hipótese possível de se concretizar no futuro.

oração subordinada	oração subordinante
se + **futuro do conjuntivo**	presente do indicativo futuro do indicativo imperativo

☐ **futuro do conjuntivo / presente do indicativo**

> Rui: Acho que deixei o isqueiro em tua casa ontem. Por acaso viste-o?
> Ana: Não, mas vou procurá-lo. *Se* o **encontrar**, *dou*-to.

> Raquel: No próximo fim de semana tenho um casamento.
>   O problema é que não tenho nada para vestir.
> Paula: Penso que a minha irmã te pode emprestar alguma coisa.
>   *Se* **fores** lá a casa, *experimentas* os vestidos dela.

☐ **futuro do conjuntivo / futuro do indicativo**

> António: A Ana faz anos amanhã. Já compraste alguma prenda?
> Carla: Ainda não. É uma altura péssima, porque estou sem dinheiro.
> António: Olha, podemos juntar-nos todos e, *se* **dividirmos** a prenda entre nós, *sairá* mais barato.

☐ **futuro do conjuntivo / imperativo**

> Teresa: Estamos a combinar ir à Serra da Estrela pelo Ano Novo. Contamos contigo?
> João: Infelizmente não posso, mas, *se* **forem**, *tragam*-me um queijo da Serra.

> D. Isabel: Hoje vou ficar a trabalhar até mais tarde.
> Sr. Dias: *Se* **sair** depois do segurança, *ligue* o alarme, se faz favor.

17.1. Combine as frases do **grupo A** com as frases do **grupo B**.

A	B
Se não puseres a carne no frigorífico,	tenho hipótese de fazer um estágio em Inglaterra.
Se passar no exame,	vais ficar com dores de barriga.
Se nos levantarmos cedo,	estraga-se.
Se não parares de comer chocolate,	terei um gabinete novo.
Se for promovido,	podemos apanhar o comboio das 8h00.

17.2. Ponha os verbos na forma correta.

1. Se _____ (ter) tempo, vou visitar-te.
2. Eu _____ (ficar) surpreendido se ela _____ (vir) a horas.
3. Se carregar no botão, a porta _____ (abrir-se).
4. Se _____ (chegar) cedo, telefonem-me.
5. Diz-me se _____ (precisar) de ajuda.
6. Se _____ (sentir-se) cansado amanhã, não vou trabalhar.
7. Se não _____ (pôr) os óculos, não vejo bem ao longe.
8. Se _____ (despachar-se), ainda chegam a tempo.
9. Se _____ (ser) transferido para o Porto, ponho a casa à venda.
10. Se não _____ (estar) ninguém em casa, deixo a encomenda na porteira.

17.3. Faça frases de modo a expressar uma **hipótese** de se concretizar no **futuro**.

1. É capaz de chover. Portanto, é melhor jantarmos em casa.
   Se chover, jantamos em casa.
2. É bem possível que ele seja selecionado para o jogo. Ganhamos com certeza.
   _____
3. Porque é que não pedes um aumento? Provavelmente dão-to.
   _____
4. Esse quadro pode ser valioso. Nesse caso vendemo-lo.
   _____
5. Devo chegar mais cedo. Portanto, poderei ajudar-te com os trabalhos de casa.
   _____
6. A festa deve acabar às tantas. Acho que me vou embora mais cedo.
   _____
7. É provável que o gatinho morra. O João vai ficar muito triste.
   _____
8. Porque é que não fazes o exame em julho? Terás mais tempo para estudar.
   _____
9. É possível que não venham no comboio das 20h00. Nesse caso vou buscá-los à estação.
   _____
10. Amanhã não devo estar no escritório. Adiamos a reunião para quarta-feira.
    _____

pretérito perfeito composto e futuro perfeito do conjuntivo

Espero que **tenhas arrumado** o quarto quando eu chegar.

Assim que **tiver visto** o filme, empresto-te o DVD.

pretérito perfeito composto do conjuntivo

◇ Forma-se com o verbo auxiliar **ter** no **presente do conjuntivo** e o **particípio passado** do **verbo principal**.

◇ Usamos o pretérito perfeito composto do conjuntivo para falar de uma ação já realizada em relação ao presente (1) ou ao futuro (2).

> ☞ As expressões e os verbos que determinam o uso do pretérito perfeito composto do conjuntivo são os mesmos do presente do conjuntivo (unidades 1 a 7).

1. A Joana teve ontem a prova específica de matemática, mas não se sentia preparada. *Duvido que* o exame lhe **tenha corrido** bem.
2. Vou sair e volto por volta das 18h00. *Espero que* **tenhas arrumado** o quarto quando eu chegar.

futuro perfeito do conjuntivo

◇ Forma-se com o verbo auxiliar **ter** no **futuro imperfeito do conjuntivo** e o **particípio passado** do **verbo principal**.

◇ Usamos o futuro composto do conjuntivo para falar de uma ação futura terminada em relação a outro facto também futuro.

> ☞ As expressões e os verbos que determinam o uso do futuro composto do conjuntivo são os mesmos do futuro do conjuntivo (unidade 8).

Quando **tiverem terminado** o trabalho, podem sair.
Assim que **tiver visto** o filme, empresto-te o DVD.
Se até às 10 horas ninguém **tiver chegado**, cancelem a reunião.

18.1. Complete com os verbos no **pretérito perfeito composto do conjuntivo**.

1. Embora ela já _____ (sair) há muito tempo, ainda não chegou a casa.
2. Só espero que tu _____ (dizer) a verdade.
3. Aonde quer que eles _____ (ir), já cá deviam estar.
4. Caso tu já _____ (ler) o livro, empresta-mo amanhã.
5. Não saio daqui até que vocês _____ (tomar) uma decisão.

18.2. Complete as frases como no exemplo.

1. Talvez o doutor já esteja no consultório.
   Talvez o doutor já *tenha chegado* ao consultório. (chegar)
2. Receio que ela esteja fora.
   Receio que ela _____ para o estrangeiro. (ir)
3. É provável que ele esteja doente depois de tudo o que comeu.
   É provável que ele _____ doente depois de tudo o que comeu. (ficar)
4. Duvido que vocês já estejam prontos quando eu chegar.
   Duvido que vocês já _____ quando eu chegar. (arranjar-se)
5. É possível que ela esteja ofendida com o que lhe disse.
   É possível que eu a _____ com o que lhe disse. (ofender)

18.3. Complete com os verbos no **futuro perfeito do conjuntivo**.

1. Assim que eles _____ (mudar-se), vou visitá-los.
2. Só quando _____ (fazer) os trabalhos, é que podes sair.
3. Enquanto os jovens não _____ (atingir) os dezoito anos de idade, não poderão deixar a escola.
4. Logo que _____ (receber) todas as inscrições, abriremos o curso.
5. Quando os professores _____ (corrigir) todas as provas e _____ (reunir-se), as notas serão afixadas.

18.4. Complete as frases como no exemplo.

1. Terminados os exames, poderei descansar.
   Quando *os exames tiverem terminado, poderei descansar.*
2. Visto o museu, vamos visitar o castelo.
   Assim que _____
3. Acabada a reunião, vamos todos ao café.
   Quando _____
4. Feitas as contas, saberemos quanto cabe a cada um.
   Logo que _____
5. Completando o 9.º ano, poderás optar por uma área profissional.
   Quando _____
6. Recebendo o dinheiro na 6.ª feira, vou passar o fim de semana fora.
   Se já _____

*Embora **tivesse ido** à festa, não se divertiu.*

◇ Forma-se com o verbo auxiliar **ter** no **imperfeito do conjuntivo** e o **particípio passado** do **verbo principal**.

◇ Usamos o **pretérito mais-que-perfeito composto do conjuntivo** para falar de:

☐ ações passadas anteriores a outras ações também passadas.

> *Embora **tivesse ido** à festa, não se divertiu.*
> *Gostei que* eles **tivessem vindo** connosco. Foi um fim de semana divertidíssimo.

☐ ações irreais, isto é, que não se concretizaram no passado.

> O acidente foi causado pelo excesso de álcool.
> O condutor bebeu demais, por isso teve um acidente.
> *Se* o condutor não **tivesse bebido** tanto, não tinha tido um acidente.

☐ frases exclamativas, regido pela expressão *quem me dera que*: o emissor lamenta que determinada ação ou facto não se tenha concretizado, ou seja, expressa o desejo de que a situação inversa tivesse ocorrido.

> O Pedro não entrou na faculdade. As pautas foram afixadas ontem e ele não foi colocado.
> — *Quem me dera que* **tivesse entrado**! Imagino como ele se deve estar a sentir. Coitado!

> Há uns anos tive a hipótese de ir trabalhar para uma multinacional. Na altura recusei e agora estou arrependida.
> — *Quem me dera que* **tivesse aceitado**!

Unidade 19

19.1. Transforme as seguintes frases, como no exemplo.

1. Com chuva, o comício tinha sido um fracasso.
   Se tivesse chovido, o comício tinha sido um fracasso.

2. Sem a ajuda do polícia, não tinha encontrado a rua.

3. Com calma, tinhas resolvido o problema.

4. Com trânsito, nunca mais tínhamos chegado.

5. De táxi, tinham demorado menos.

6. Com natas, o prato tinha ficado mais saboroso.

7. Com mais tempo, teríamos conhecido melhor a cidade.

8. Com outras condições, tinha aceitado o trabalho.

9. Sem conhecimento de inglês e espanhol, não tinha conseguido o emprego.

10. Sem tradução, não teria compreendido nada.

19.2. Complete as frases como no exemplo.

1. Fiquei doente e faltei à inauguração.
   Quem me dera que *não tivesse ficado doente.*

2. Pintei o cabelo e agora não gosto de me ver.
   Oxalá

3. Não fui ao dentista e agora estou com dores de dentes.
   Tomara que

4. Não vimos o filme e afinal disseram-me que era ótimo.
   Oxalá

5. Comi muito e agora estou indisposto.
   Quem me dera que

6. Adormeci e perdi o final do filme.
   Oxalá

7. Não comprei os bilhetes na semana passada e agora estão esgotados.
   Quem me dera que

8. Na altura não tive oportunidade de falar com eles.
   Tomara que

© LIDEL EDIÇÕES TÉCNICAS

presente *vs.* pretérito imperfeito do conjuntivo em frases exclamativas de desejo

Oxalá **fique** boa depressa!

Oxalá **ficasse** boa depressa!

◇ **Oxalá**, **tomara que**, **Deus queira que**, **quem me dera que** introduzem frases exclamativas de desejo, isto é, o desejo por parte do emissor de que a ação ou o facto que enuncia se venha a concretizar. O verbo utilizado está sempre no conjuntivo.

exclamativas de desejo		
Oxalá Tomara que	**presente do conjuntivo**	maior probabilidade de concretização
Deus queira que Quem me dera que	**imperfeito do conjuntivo**	menor probabilidade de concretização

◇ Estas frases exclamativas com o verbo no **presente** ou no **imperfeito do conjuntivo** referem-se apenas a **ações** ou **factos presentes** ou **futuros**.

☐ Se o verbo estiver no presente do conjuntivo, o grau de probabilidade de que a ação ou facto ocorra é muito maior do que se o verbo estiver no imperfeito do conjuntivo. Neste último caso, o emissor traduz dúvida ou incerteza relativamente à concretização do enunciado.

> ☞ A expressão *Deus queira que* usa-se mais frequentemente com o verbo no presente do conjuntivo, ou seja, em situações em que existe maior probabilidade de concretização do enunciado.

Situações:

1. A Sara acabou de sair. Tem de estar no aeroporto dentro de 30 minutos, senão perde o avião.
   João: *Oxalá* **chegue** a tempo! A esta hora há pouco trânsito.
   Miguel: *Oxalá* **chegasse** a tempo! Mas acho que vai ser difícil pôr-se lá em meia hora.

2. A Aninhas tem estado muito constipada e com dores de garganta. Durante a noite a febre subiu até aos 40ºC.
   Médico: Seguindo à risca a medicação, a febre deverá baixar e, dentro de 3 dias, telefone-me.
   Mãe: *Tomara que* **fique** boa rapidamente. Esse antibiótico já foi eficaz noutras ocasiões.
   Pai: *Tomara que* **ficasse** boa rapidamente. Mas da última vez tivemos de levá-la ao hospital.

Unidade 20

20.1. Complete as situações, pondo os verbos no **presente** ou no **imperfeito do conjuntivo**.

☺ A Joana é otimista por natureza.   ☹ O Miguel é muito pessimista.
Para ela tudo tem solução, tudo se resolve.   Para ele tudo são dificuldades.

☺   ☹

1. Oxalá o tempo _____ bom!   Oxalá o tempo _____ bom!
Em abril já há muitos dias de sol.   Mas como diz o ditado "Em abril águas mil".

2. Tomara que o Quim _____ no exame!   Tomara que o Quim _____ no exame!
Ele perdeu noites inteiras a estudar.   Mas as noitadas com os amigos…

3. Deus queira que ainda _____   Quem me dera que ainda _____
bilhetes para o concerto! Vou tentar naquela   bilhetes para o concerto! Já ouvi dizer que
agência.   está esgotado há semanas, por isso, não
    tenho muitas esperanças.

4. Vou pintar o cabelo de louro. Oxalá me   Ela vai pintar o cabelo de louro. Oxalá lhe
_____ bem! Acho que estou a   _____ bem! Mas acho que não me
precisar de mudar o visual.   vou habituar ao novo visual.

5. Candidatei-me ao mestrado. Deus queira   Ela candidatou-se ao mestrado. Tomara que
que eu _____ aceite! Tenho uma   ela _____ aceite, mas a média dela
média muito razoável.   não é muito alta…

20.2. Leia as situações e depois faça uma frase exclamativa usando os verbos no **presente** ou **imperfeito do conjuntivo**.

1. O João e o Miguel queriam ir acampar no próximo fim de semana, apesar do tempo estar um pouco instável – ora chove, ora faz sol.

   João: _____! Já tenho saudades de um fim de semana com sol.

   Miguel: _____! Aos fins de semana parece que o tempo ainda fica pior.

2. Acho que o meu namorado não vai estar de serviço amanhã à noite.
   _____ ir comigo à festa!

3. O treinador pensa que os atletas se vão qualificar para os Jogos Olímpicos.
   _____! Eles têm-se esforçado tanto.

4. Os empregados pretendem falar com o patrão para reverem os ordenados.
   _____, mas duvido que tenham coragem.

5. Chamaram-me para uma entrevista numa multinacional.
   _____ eu a selecionada, mas são tantos os candidatos…

pretérito perfeito *vs.* pretérito mais-que-perfeito do conjuntivo em frases exclamativas de desejo

exclamativas de desejo		
Oxalá Tomara que	**pretérito perfeito do conjuntivo**	maior probabilidade de concretização
Deus queira que Quem me dera que	**pretérito mais-que-perfeito do conjuntivo**	menor probabilidade de concretização

◇ Com o verbo no **pretérito perfeito** ou no **pretérito mais-que-perfeito do conjuntivo**, as frases exclamativas referem-se sempre a **ações** ou **factos passados**.

☐ Se o verbo estiver no pretérito perfeito do conjuntivo, o grau de probabilidade de que a ação ou o facto tenha ocorrido é maior do que se o verbo estiver no pretérito mais-que-perfeito do conjuntivo. Neste último caso, o emissor expressa dúvida ou incerteza relativamente à concretização do enunciado.

> ☞ A expressão *Deus queira que* usa-se mais frequentemente com o verbo no pretérito perfeito do conjuntivo, ou seja, em situações em que existe maior probabilidade de concretização do enunciado.

Compare:

A esta hora já a reunião começou. A Sara saiu daqui muito tarde.
— *Oxalá* ela **tenha chegado** a tempo! — diz o João — A esta hora há pouco trânsito. Talvez tenha conseguido.
— *Tomara que* ela **tivesse chegado** a tempo! — diz o Miguel — Mas como é tão difícil estacionar naquela zona, deve ter perdido uns 15 minutos só para arranjar lugar para o carro.

O António esqueceu-se da carteira em cima da mesa do café e voltou lá a correr. Pelo caminho, ia pensando:
— *Deus queira que* o empregado a **tenha visto**! Acho que ele estava ao pé da mesa. Talvez tenha sorte.
— *Quem me dera que* o empregado a **tivesse visto**! Mas estava lá tanta gente que só por um milagre é que a vou reaver.

21.1. Complete as situações, pondo os verbos no **pretérito perfeito** ou no **pretérito mais-que-perfeito do conjuntivo**.

1. | A estas horas já a minha irmã fez o exame de condução. |

   — Oxalá lhe _____ (correr) bem. Nestes últimos dias deixei-a conduzir o meu carro, sempre comigo ao lado para a orientar.

   — Tomara que (ela) _____ (passar). Ela estava nervosíssima e nessas situações as pessoas fazem sempre asneiras.

2. | Ontem houve uma reunião da administração e já decidiram quais os empregados que ficam e quais os que irão ser dispensados. |

   — Quem me dera que (eles) _____ (optar) pelos meus serviços, mas não creio, pois já não sou nenhum jovem.

   — Tomara que (eles) _____ (tomar) a decisão de não te dispensar. Já não és jovem, mas tens demonstrado muito profissionalismo e inovação.

3. | O bebé nasceu hoje de manhã, mas ainda não pudemos visitar a mãe. |

   — Oxalá não _____ (haver) complicações durante o parto, mas já estou a estranhar esta demora tão prolongada.

   — Tomara que a mãe não _____ (ter) problemas. Acho que não, senão o médico teria falado connosco.

4. | Ainda não sabemos o resultado das eleições. |

   — Quem me dera que _____ (ganhar) a lista C. É a lista que apresenta candidatos mais capazes e conhecedores dos problemas da faculdade.

   — Oxalá _____ (vencer) a lista A. Na minha opinião, esta lista tem os melhores candidatos, incluindo dois doutorados.

5. | Acabei de receber uma má notícia. Os meus tios tiveram um acidente de viação, mas ainda não me sabem dar pormenores. Não sabemos se estão vivos ou mortos. |

   — Tomara que (eles) não _____ (morrer), mas, para não adiantarem mais nada, é porque a situação está muito complicada.

   — Quem me dera que (eles) _____ (salvar-se), mas tenho de concordar contigo: estou muito pessimista.

21.2. Analise as situações e em seguida faça uma frase exclamativa usando os verbos que achar adequados no **pretérito perfeito** ou no **pretérito mais-que-perfeito do conjuntivo**.

1. Fui chamado para uma entrevista, mas ainda não sei o resultado. Acho que me correu muito bem. É mesmo o tipo de trabalho que eu gosto.

   _____ !

2. O António foi a uma consulta médica e ficou muito desanimado com o que o médico lhe disse.

   _____ !

3. O António é muito persistente e resolveu consultar outro médico da mesma especialidade. Desta vez ficou um pouco mais animado.

   _____ !

4. Afinal a Ana resolveu ir à festa de finalistas da universidade. Não sei se fez bem. Ela estava muito em baixo depois da operação a que foi submetida.

   _____ !

pretérito mais-que-perfeito simples e composto do indicativo

pretérito mais-que-perfeito simples do indicativo (p.m.q.p.s.)

◇ Forma-se a partir da 3.ª pessoa do plural do pretérito perfeito simples (p.p.s.), a que se retira **-am** e se acrescentam as **desinências do p.m.q.p.s**.

	p.p.s.	p.m.q.p.s.
	3.ª pessoa do plural	**1.ª pessoa do singular**
estar	estiver**am**	estiver**a**
fazer	fizer**am**	fizer**a**
ir / ser	for**am**	for**a**
querer	quiser**am**	quiser**a**
trazer	trouxer**am**	trouxer**a**

p.m.q.p.s.		
eu	estiver	**a**
tu	estiver	**as**
você ele ela	estiver	**a**
nós	estiver	**amos**
vocês eles elas	estiver	**am**

◇ Este tempo verbal é mais frequente num nível de linguagem literária e mais cuidada e menos usual na linguagem corrente, na qual se opta, normalmente, pela forma composta do pretérito mais-que--perfeito.

◇ Usa-se o **p.m.q.p.s.** para falar de:

☐ ações passadas que ocorreram antes de outras já passadas.
> A conversa **tornara-se** tão monótona que eu me desinteressei.
> Quando voltámos para casa já o sol se **pusera**.

☐ factos vagamente situados no passado.
> **Casara**, **tivera** filhos, mas nada disso lhe **alterara** a maneira de ser forte e autoritária.

pretérito mais-que-perfeito composto do indicativo

◇ Forma-se com o verbo auxiliar **ter** no **imperfeito** do indicativo seguido do **particípio passado** do verbo principal.

◇ Usa-se para falar de ações passadas anteriores a outras também passadas, isto é, normalmente este tempo verbal – 1.ª ação no passado – contrasta com o pretérito perfeito simples do indicativo (p.p.s.) – 2.ª ação no passado.

> Apanhei muito trânsito e quando cheguei à escola, a aula já **tinha começado.**
> 2.ª ação   1.ª ação

Unidade 22

22.1. Substitua as formas sublinhadas pelo **pretérito mais-que-perfeito simples do indicativo**.

1. Nunca me <u>tinha sentido</u> tão mal ao assistir a uma operação daquelas.

_____

2. Já prontos para partir, a dona da casa <u>tinha feito</u> questão que eles lá pernoitassem.

_____

3. Alguém <u>tinha dado</u> as informações à polícia.

_____

4. A revista <u>tinha tido</u> o seu primeiro número no século passado, mais precisamente, <u>tinha sido</u> publicada em 1921.

_____

5. Quando completou a universidade em 1963, <u>tinha</u> já <u>escrito</u> o seu primeiro romance.

_____

22.2. Complete estes artigos jornalísticos com o verbo no **pretérito mais-que-perfeito simples do indicativo**.

1. O presidente do maior partido da oposição convocou um congresso extraordinário, já que, no seu entender, _____ (ler) bem os sinais do eleitorado e _____ (perceber) que se _____ (chegar) ao fim de um ciclo de vida política nacional. Já anteriormente _____ (dizer) ser essa a sua vontade.

2. Em entrevista ao nosso jornal, o diretor declarou que não previa qualquer conflito com a nova administração, uma vez que esta já lhe _____ (dar) todo o apoio e lhe _____ (garantir) que os planos que _____ (propor) no início do ano seriam cumpridos.

3. No seu discurso, o advogado reafirmou que o réu _____ (ser) vítima de uma emboscada. Tentou provar que _____ (haver) negligência por parte das autoridades, alegando que o réu _____ (ter) o cuidado de informar a polícia do que se estava a passar e esta pouco _____ (fazer) para o proteger.

◇ Forma-se com o verbo auxiliar **ter** no **futuro imperfeito** do **indicativo** seguido do **particípio passado** do verbo principal.

futuro perfeito do indicativo

eu	**terei**	
tu	**terás**	
você ele ela	**terá**	**estado** **falado** **ido**
nós	**teremos**	**trazido**
vocês eles elas	**terão**	**visto**

◇ Usamos o **futuro perfeito do indicativo** para:

☐ falar de ações futuras anteriores a outras também futuras.

> Quando *chegar* a casa, o filme já **terá acabado**.
> *Daqui a um ano* já nos **teremos mudado** para a casa nova.
> *Até amanhã* já **terei lido** o livro.

☐ exprimir incerteza, desconhecimento sobre factos passados.

> São duas horas da tarde e ainda estão a dormir. A que horas se **terão deitado**?

> O João ficou de comprar os bilhetes para a sessão das 21h30. **Terá conseguido** comprá-los?

> Está muita gente ali ao fundo. **Terá havido** um acidente?

☐ exprimir suposição sobre factos passados.

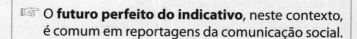 O **futuro perfeito do indicativo**, neste contexto, é comum em reportagens da comunicação social.

> Supõe-se que os contrabandistas já **terão deixado** o país.

> O larápio **terá assaltado** uma senhora idosa e posteriormente **terá fugido** numa carrinha branca que se pensa que **terá sido roubada**.

Unidade 23

23.1. Complete os artigos de jornal com os verbos no **futuro perfeito do indicativo**.

1. **"O morto, de facto, falou."**

Um homem, dado como morto pelos familiares e por uma seita religiosa, _____ (ressuscitar) a caminho da morgue da capital moçambicana. O indivíduo, de 25 anos, _____ (morrer) por intoxicação alcoólica. Isto porque, à noite, _____ (beber) oito garrafas de uma fortíssima aguardente caseira. Nessa noite, Chande, _____ (sentir) fortes dores de barriga, pelo que a família _____ (chamar) a casa membros de uma seita religiosa que, depois de umas orações, _____ (garantir) que ia melhorar. Na manhã seguinte, os vizinhos _____ (ouvir) a família a chorar porque o rapaz tinha morrido. O motorista, que posteriormente o _____ (transportar) para a morgue, _____ (ficar) espantadíssimo quando ouviu o morto a falar.

2. **"Atirador detido"**

A PSP deteve um indivíduo que, alegadamente, _____ (ferir) um outro a tiro de caçadeira. Segundo testemunhas, o caso _____ (ocorrer) na noite de quarta-feira numa artéria da capital, onde um indivíduo identificado por Sanches, _____ (disparar) contra um rapaz de 20 anos.

23.2. Use o **futuro perfeito do indicativo** em frases interrogativas.

1. Desde sábado que estou a tentar telefonar aos meus tios e ninguém atende.
   Terão ido viajar _____? (eles / ir viajar)
2. O espelho da casa de banho está partido.
   _____? (quem / partir)
3. Tenho uma mensagem em cima da secretária, mas não está assinada.
   _____? (quem / escrever)
4. As crianças já estão a brincar no jardim.
   _____? (elas / fazer os trabalhos de casa)
5. A Joana não veio às aulas.
   _____? (ela / ficar doente)
6. Não encontro os documentos em lado nenhum.
   _____? (onde / pôr)
7. Comprámos-lhe um CD de música clássica.
   _____? (ela / gostar)

23.3. Complete as frases com os verbos no **futuro perfeito do indicativo**.

1. Até ao fim do mês (nós) já _____ (acabar) as obras na cozinha.
2. Quando ele voltar, o bebé já _____ (nascer).
3. A empregada já _____ (fazer) o jantar, quando nós chegarmos a casa.
4. Daqui a um ano (eu) _____ (terminar) o curso na faculdade.
5. Às nove da noite o avião já _____ (aterrar) em Lisboa.
6. Quando forem dez horas, as crianças _____ (ir) para a cama.

◇ Forma-se o **condicional pretérito** com o verbo auxiliar **ter** no **condicional presente** e o **particípio passado do verbo principal**.

condicional pretérito		
eu	**teria**	
tu	**terias**	
você ele ela	**teria**	**comprado** **dito** **feito** **visto**
nós	**teríamos**	
vocês eles elas	**teriam**	

◇ Usamos o condicional pretérito para:

☐ falar de ações que não se realizaram no passado, porque a condição de que dependiam não se verificou.

> Passei o fim de semana a trabalhar. Por isso, não fui com vocês.
> *Se* não *tivesse passado* o fim de semana a trabalhar, **teria ido** com vocês.

> Já não encontraram a Ana em casa, porque chegaram tardíssimo.
> **Teriam encontrado** a Ana em casa, *se tivessem chegado* mais cedo.

> Afinal não fui ao cinema, porque não tinha companhia.
> *Se tivesse* companhia, **teria ido** ao cinema.

> ☞ O **condicional pretérito**, neste contexto, é equivalente ao pretérito mais-que-perfeito composto do indicativo.

☐ exprimir dúvida / incerteza relativamente a factos passados.

> O motorista **teria adormecido**, segundo o testemunho de um dos sobreviventes. Posteriormente, a camioneta **teria embatido** nas divisórias da autoestrada e, consequentemente, **teria capotado**.

> ☞ O **condicional pretérito**, neste contexto, é uma estrutura típica da linguagem jornalística, ao relatar notícias das quais não se tem a certeza da veracidade dos factos.

☐ em frases interrogativas, exprimir desconhecimento sobre factos passados.

> Ninguém sabe ao certo as causas do acidente.
> O que é que **teria originado** o acidente?

> ☞ O **condicional pretérito**, neste contexto, é equivalente ao futuro perfeito do indicativo, mas reforça a noção de desconhecimento.

24.1. Complete com os verbos dados no **condicional pretérito**.

| ameaçar | encostar | ficar | furtar | sair | utilizar |

Um ucraniano e um português foram detidos pela Polícia Judiciária por, alegadamente, terem assaltado um posto de gasolina nos arredores de Lisboa.

Os indivíduos _____ uma viatura, que se pensa que _____, e, enquanto um deles _____ na carrinha, o outro, munido duma navalha, _____ a correr em direção à única funcionária de serviço. De seguida, o homem _____ a empregada, obrigando-a a entregar todo o dinheiro que tinha em caixa. De acordo com uma testemunha, o assaltante _____ a navalha ao ventre da rapariga, arrastando-a para as traseiras do estabelecimento e ameaçando-a de morte caso reagisse.

24.2. Faça frases interrogativas como no exemplo.

1. Não sei se a operação correu bem.
   A operação teria corrido bem _____ ?

2. Não sei qual foi o resultado das eleições.
   _____ ?

3. Ainda não sei quem ganhou o concurso.
   _____ ?

4. Não faço ideia porque é que ele ficou zangado comigo.
   _____ ?

5. Não tenho a certeza se eles já chegaram.
   _____ ?

6. Ainda não sabemos as causas do acidente.
   _____ ?

7. Não sei porque é que o João se despediu.
   _____ ?

8. Ninguém sabe ao certo o que é que aconteceu ontem à noite.
   _____ ?

9. Não sei quem foi a pessoa responsável por essa decisão.
   _____ ?

10. Não faço ideia como é que os ladrões entraram.
    _____ ?

11. Ainda não sabemos se a resposta foi positiva.
    _____ ?

24.3. Complete as frases com os verbos no **condicional pretérito**.

1. Se não tivesse deixado a porta aberta, _____
2. Mesmo que não tivesse chovido, _____
3. Se alguém se tivesse lembrado mais cedo, _____
4. Caso tivessem chegado a horas, _____
5. Se tivesses feito um seguro contra roubo, _____

conjugação pronominal com o futuro do indicativo e condicional presente

◇ Usa-se a **interposição do pronome pessoal** (reflexo, complemento direto ou indireto) na forma verbal sempre que o verbo estiver no **futuro do indicativo** ou no **condicional presente**.

◇ Destacam-se as **terminações** do **futuro** ou do **condicional**, sendo o **pronome pessoal colocado no meio**, **entre hífenes**. No caso da 3.ª pessoa do pronome pessoal complemento direto (o, a, os, as), serão feitas as alterações necessárias, devido ao facto de a forma verbal que o precede terminar em **-r** (ver *Gramática Ativa 1*, Unidade 43).

futuro imperfeito do indicativo			condicional presente		
eu	dar	**ei**		dar	**ia**
tu	escrever	**ás**		escrever	**ias**
você ele ela	far	**á**		far	**ia**
nós	ler	**emos**		ler	**íamos**
vocês eles elas	trar	**ão**		trar	**iam**

conjugação pronominal	
dar-**te**-ei	dar-**lhes**-ia
escrever-**me**-ias	escrevê-**la**-ás
fá-**lo**-á	far-**me**-á
lê-**la**-emos	lê-**lo**-emos
trar-**lhe**-ão	trar-**te**-iam

Ainda não tive tempo para fazer o trabalho. **Fá-lo-ei** no fim de semana.
A esta hora já o Miguel acabou o exame. **Ter-lhe-á** corrido bem?
Se estivesses no meu lugar, **dir-me-ias** a verdade?
Telefonar-lhe-emos assim que chegarmos ao hotel.
Pagar-te-ia o jantar, se tivesse dinheiro.
Assim que te vir, **lembrar-se-á** de ti, tenho a certeza.

☞ Determinados advérbios, conjunções e pronomes pedem o pronome pessoal <u>antes</u> do verbo. (ver *Gramática Ativa 1*, Unidade 15). Nesses casos não há interposição do pronome.

Ele **dir-te-á** a verdade. *vs.* Ele **nunca te dirá** a verdade.

25.1. Substitua as formas assinaladas pelo **futuro** ou **condicional** e faça as alterações necessárias.
1. **Vamos falar-lhe** no assunto, assim que o virmos.

2. Experimenta trabalhar com ela. **Vão dar-se** bem com certeza.

3. **Vou visitá-lo** amanhã. Hoje estou muito ocupado.

4. Eles **vão trazer-te** tudo o que lhes pediste.

5. **Sentia-me** melhor se pudesse falar com o médico.

6. Se estivessem cá no verão, **convidava-os** para passarem 15 dias connosco.

7. **Interessava-lhe** ver mais catálogos sobre a exposição?

8. Os eletrodomésticos **vão ser-lhe** entregues na próxima segunda-feira.

9. O Dr. Silva **vai recebê-la** dentro de 10 minutos.

10. **Vamos encontrar-nos** novamente no próximo congresso.

25.2. Ponha as frases na afirmativa e faça as alterações necessárias.
1. Não o ajudaremos outra vez.

2. Não se demitirá do cargo até ao final do ano.

3. Não te pedirei desculpa.

4. Não se fará como ele disse.

5. Não a cumprimentaria em qualquer dos casos.

6. Não vos teria mentido, se tivesse adivinhado a vossa reação.

7. Não lhes teria escrito, se soubesse que eles vinham.

8. Não se teriam perdido, se lhes tivesses dado as mesmas indicações que deste a mim.

9. Não me teria casado tão cedo, se soubesse o que sei hoje.

10. Não a reconheceria, se a visse outra vez.

11. Não nos veremos mais nenhuma vez.

12. Não me oporia, fosse qual fosse a situação.

13. Não o contactarão hoje, com certeza.

14. Não te sentirias melhor, se fosses ao médico?
?

15. Não se darão mal, se trabalharem juntas?
?

discurso direto e indireto

	discurso direto	discurso indireto
pontuação	: - " " ? ! .	. (ponto final)
verbos introdutórios	contar, dizer, pedir, perguntar, querer, saber, responder, ...	contar, dizer, pedir, perguntar, querer, saber, responder, ..., seguidos de **que**, **se** ou **para**
tempos verbais e modos	• presente do indicativo • pretérito perfeito simples do indicativo • futuro imperfeito do indicativo • presente do conjuntivo • imperfeito do conjuntivo • futuro do conjuntivo • imperativo	• imperfeito do indicativo • pretérito mais-que-perfeito composto do indicativo • condicional presente • imperfeito do conjuntivo • imperfeito do conjuntivo • imperfeito do conjuntivo • imperfeito do conjuntivo ou infinitivo
pessoais e possessivos	1.ª e 2.ª pessoa	3.ª pessoa
demonstrativos	este, esse, isto, isso	aquele, aquilo
expressões de lugar	aqui, cá, neste lugar	ali, lá, naquele lugar
expressões de tempo	ontem hoje amanhã agora na próxima semana	no dia anterior nesse dia / naquele dia no dia seguinte naquele momento na semana seguinte

— Pese-me um quilo de laranjas — pediu a Vera.
A vendedora pesou as laranjas e perguntou:
— Além disto, que mais deseja?

A Vera *pediu* à vendedora | *que* lhe **pesasse** um quilo de laranjas.
para lhe **pesar** um quilo de laranjas.

A vendedora pesou as laranjas e perguntou à Vera *se* **desejava** mais alguma coisa.

Miguel: E que tal se fizéssemos um jantar em minha casa?
    Zé: Se concordarem, eu levo o vinho. Ofereceram-me várias garrafas no mês passado.
  Joana: Eu vou fazer um bolo que é uma delícia!

O Miguel *sugeriu que* **fizessem** um jantar em casa **dele**.

O Zé *disse que* se **concordassem**, **ele levava** o vinho. **Tinham-lhe oferecido** várias garrafas no mês **anterior**.

A Joana *disse que* **ia fazer** um bolo que **era** uma delícia.

26.1. Passe o seguinte texto para o **discurso indireto** e faça as alterações necessárias. Use os verbos introdutórios *dizer*, *referir*, *mencionar*.

Locutor: Após quatro anos de seca, chegaram finalmente as chuvas do século. A água subiu nos rios, encharcou o Alentejo e até dava para encher o Alqueva. Dos prejuízos da seca, passou-se para os das cheias, num inverno em que tem chovido diariamente e as previsões apontam para que continue a chover nos próximos meses.

O locutor _____

_____

_____

_____

26.2. Agora faça a operação inversa, isto é, passe o seguinte conto popular para o **discurso direto** e faça as alterações necessárias. Atenção à pontuação!

O barbeiro disse ao padre que tinha um segredo, mas que não podia revelá-lo a ninguém; e acrescentou que, se o não dissesse, morreria, e, se o dissesse, o rei mandá-lo-ia matar.
Respondeu-lhe o padre que fosse a um vale, e que fizesse uma cova na terra e dissesse o segredo tantas vezes até ficar aliviado desse peso; e que depois tapasse a cova com terra.
O barbeiro assim fez; e, depois de ter tapado a cova, voltou para casa muito descansado, contou ele ao padre.

_____

_____

_____

_____

_____

_____

_____

26.3. Ponha as seguintes frases no **discurso indireto** e faça as alterações necessárias.

1. A Paula voltou-se para o Luís e disse:
   — Fui chamada para uma entrevista numa consultora. Ficou marcada para quarta-feira da semana que vem.

_____

_____

2. Luís: Ótimas notícias! Parabéns! Espero que corra tudo bem e sejas admitida.

_____

3. Paula: Se conseguir o emprego, poderei realizar algumas das coisas com que sempre sonhei. Bom, o melhor é não me entusiasmar antes de tempo.

_____

_____

◇ Usamos o **modo indicativo** em <u>frases interrogativas</u>:

☐ <u>diretas</u>, introduzidas por um pronome interrogativo.

> Que horas são?
>
> Para quem são essas flores?
>
> Qual é o teu livro? Este ou aquele?
>
> Quantos anos tens?
>
> Porque é que se atrasaram?
>
> Por onde vieram?
>
> Como é que vão para casa?
>
> Quando é que eles chegam?

☐ <u>indiretas</u>, introduzidas por pronomes ou advérbios interrogativos ou, na ausência destes, pela conjunção subordinativa *se*.

> Ele quer saber *que* horas **são**.
>
> Gostaria de saber *para quem* **são** essas flores.
>
> Perguntei-te *qual* **era** o teu livro.
>
> Não sei *quantos* anos **tens**.
>
> Ela quis saber *porque* é que se **atrasaram**.
>
> Não sabemos *por onde* é que eles **vieram**.
>
> Perguntaram-nos *como* é que **íamos** para casa.
>
> Não sei *quando* é que eles **chegam**.
>
> Ela perguntou-me *se* eu **queria** ir com eles.

Compare:

indicativo	conjuntivo
Ela não sabe se **pode** ir convosco.	Se **puder**, telefona-vos.
Não faço ideia onde **está** o meu dicionário.	**Esteja** onde **estiver**, tenho de encontrá-lo.
Não sei quando é que a Eva **chega**.	Quando a Eva **chegar**, conto-lhe as novidades.
Esse bolo **faz**-se com margarina ou azeite?	**Faças** como **fizeres**, fica sempre bom.
Ainda não me disseste quem é que **vem** à festa.	Quem **vier** à festa, tem de trazer o convite.

27.1. Complete com os verbos no **indicativo** ou **conjuntivo**.

1. querer

   Se tu _____, posso levar-te a casa.
   Não sei se _____ que eu te leve a casa.

2. fazer

   Vou dar uma festa, quando _____ anos.
   Não sei ao certo quando é que ele _____ anos.

3. chegar

   Gostaria de saber a que horas é que eles _____.
   _____ a que horas _____, vou esperá-los ao aeroporto.

4. vir

   Precisava de saber se o João e a Ana também _____.
   Se eles _____, temos de reservar mais uma mesa.

5. ver

   Não sei se eles já _____ esse filme.
   Se não _____, tenho aqui 2 bilhetes a mais.

6. conseguir

   Não tenho a certeza se _____ acabar o trabalho dentro do prazo.
   Seria ótimo, se _____ acabar o trabalho dentro do prazo.

7. trazer

   A Guidinha perguntou-me se eu lhe _____ alguma prenda.
   Se eu lhe _____ alguma prenda, tinha-lha dado logo.

8. ter

   Gostava de saber quando é que tu _____ tempo para fazer a tão esperada reunião.
   Quando _____ tempo, avisa-me.

9. ir

   Perguntou-me como é que eu _____ para o emprego.
   _____ como _____, demoro em média 1 hora.

10. estar

    Preciso que me diga onde _____ afixados os horários.
    Estão onde _____ afixadas as notas, do lado direito da vitrina.

27.2. Escolha o verbo adequado e complete as frases com o **indicativo** ou **conjuntivo**.

dizer	encontrar	ir	partir	pôr	querer	ser	ter	ver	vir

1. Contem-me lá como é que _____ as vossas férias.
2. Não sei onde _____ a minha carteira.
3. Ele vai para onde ela _____.
4. Quem _____ depois da hora, não poderá entrar.
5. _____ o que _____, não há razão para esse teu comportamento.
6. Gostaria de saber a que horas _____ o próximo comboio.
7. Faz como _____. É-me indiferente.
8. Queria saber se ainda _____ bilhetes para a sessão das 21h30.
9. Se o _____ ontem, já lhe tinha dado a novidade.
10. Quando _____ o filme, compreendes porque é que foi tão aplaudido pelos críticos.

gerúndio simples

◇ Usamos o gerúndio para:

☐ exprimir causa

Sabendo que vinhas, fiquei em casa. = Como sabia que vinhas, fiquei em casa.

☐ exprimir tempo

Saindo de casa, encontrei a Rita. = Ao sair de casa, encontrei a Rita.

Quando saía de casa, encontrei a Rita.

> ☞ Quando o gerúndio exprime tempo, pode ser regido pela preposição *em*.
>
> *Em* **saindo** de casa, encontrei a Rita.

☐ exprimir condição

Tendo febre, toma estes comprimidos. = Se tiveres febre, toma estes comprimidos.

☐ exprimir modo

Entretinha-me **ouvindo** música. = Entretinha-me com música.

☐ substituir uma oração coordenada começada pela conjunção *e*.

Os chapéus voavam com o vento e davam reviravoltas no ar.

Os chapéus voavam com o vento, **dando** reviravoltas no ar.

gerúndio composto

◇ Forma-se com o verbo auxiliar **ter** no **gerúndio** seguido do **particípio passado do verbo principal**.

◇ Usa-se nos mesmos casos do gerúndio simples para exprimir uma ação concluída no passado.

Tendo tido febre, tomei um antibiótico. = Como tive febre, tomei um antibiótico.

Tendo sabido que vinhas, ficaria à tua espera. = Se soubesse/tivesse sabido que vinhas, tinha ficado à tua espera.

gerúndio	
simples	**composto**
Exprime uma ação em curso, simultânea ou imediatamente anterior ou posterior à expressa pelo verbo da ação principal.	Exprime uma ação concluída, anteriormente à expressa pelo verbo da ação principal.

A mãe observava, **sorrindo**, as brincadeiras dos filhos.

Tendo febre, tens de ficar em casa.

Atirando com a porta, saiu sem dizer mais nada.

Estando com dores de cabeça, a Ana foi-se deitar.

Tendo estado toda a manhã com dores de cabeça, não pude ir trabalhar.

Tendo dito tudo o que tinha a dizer, foi-se embora sem mais demora.

28.1. Transforme as seguintes frases e faça as alterações necessárias.

1. O Sr. Mateus perdeu o controlo da carrinha e foi embater no muro.
   Tendo perdido o controlo da carrinha, o Sr. Mateus foi embater no muro.

2. Como embateu no muro, a carrinha ficou muito danificada.

3. O Sr. Mateus foi levado para o hospital e lá diagnosticaram-lhe um traumatismo craniano.

4. Ficou sob observação e teve alta passado uma semana.

5. Como não se sentia totalmente recuperado, resolveu tirar uns dias de férias.

6. Depois do susto que apanhou, decidiu que o melhor era não ir a conduzir.

7. E pensou: "Se for de comboio, é muito mais seguro".

28.2. Faça frases, iniciando-as com o **gerúndio simples** ou **composto**.

1. Quando for a Braga, vou visitar-vos.

2. Como já acabou os exames, o João partiu ontem para o Algarve.

3. Se apanhares um táxi, pode ser que não chegues atrasado.

4. Se tivessem esclarecido a situação, não teria havido tantos problemas.

5. Como já vi essa peça de teatro, não me importo de ficar a tomar conta das crianças.

6. Quando acabar o estágio, vou concorrer para fora de Lisboa.

7. Se tivesse pensado melhor, não teria aceitado o trabalho.

8. Se vierem pela estrada antiga, tenham cuidado com as obras.

9. Como não lhes dei autorização, ficaram muito sentidos comigo.

10. Caso tragam as crianças, avisem-me para eu preparar os quartos.

28.3. Complete as seguintes frases, usando a forma **simples** ou **composta do gerúndio**.

1. _____, é melhor consultar o médico.
2. _____, tiveram de regressar mais cedo.
3. _____, terá direito a um desconto.
4. _____, reparei que me tinha esquecido da carteira.
5. _____, terias tido melhores notas.
6. _____, prefiro ficar em casa.

◇ Usamos **infinitivo impessoal** quando:

☐ não nos referimos a nenhum sujeito.

> É proibido fumar.

☐ o sentido da frase já indica qual é o sujeito.

> Trabalhamos para subir na vida.

☐ tem valor de imperativo.

> Não deitar lixo no chão.

◇ Usamos o **infinitivo pessoal** quando:

☐ há necessidade de indicar o **sujeito**.

> Antes de saíres de casa, fecha o gás.

☐ pode haver dúvidas acerca da identificação do sujeito.

> Acho melhor não saírem agora; está a chover muito.

> ☞ O infinitivo é a única forma nominal que pode apresentar flexão de pessoa e número: **infinitivo pessoal** (ver *Gramática Ativa 1*, Unidade 28)

◇ O infinitivo pessoal apresenta uma **forma simples** e outra **composta**.

◇ O **infinitivo pessoal composto** forma-se com o verbo auxiliar **ter** no *infinitivo pessoal simples* e o **particípio passado do verbo principal**.

infinitivo pessoal	
simples	**composto**
Aspeto não concluído (indica uma ação a decorrer ou que ainda nem se iniciou)	Aspeto concluído (indica uma ação terminada em relação a outra)

Compare:

Comprei este livro para **leres** na viagem.
Depois de **teres lido** o livro, empresta-mo.

No caso de **optarem** por esta marca, não se vão arrepender.
No caso de já **terem optado** por outra marca, nós fazemos a troca.

Apesar de não me **sentir** muito bem, vou com vocês.
Apesar de não me **ter sentido** bem durante a noite, fui trabalhar.

29.1. Complete com os verbos no **infinitivo pessoal composto**.

1. Depois de _____ (acabar) de comer, levantem a mesa.
2. Apesar de _____ (passar) no exame, não entrei na universidade.
3. Viajaram 10 horas seguidas sem nunca _____ (ter) nenhum contratempo.
4. Mantivemos segredo até _____ (conseguir) resolver a situação.
5. No caso de já _____ (encontrar) a solução, vem falar comigo.
6. Vinte anos depois de _____ (casar-se), decidiram fazer vidas separadas.
7. Sem _____ (ver) o filme, não podes estar a dizer mal.
8. Não quiseram participar na homenagem apesar de _____ (convidar).
9. Seis meses depois de _____ (admitir), foi promovido a gerente.
10. No caso de ainda não _____ (comprar) bilhetes, aconselho-te a fazê-lo antes que se esgotem.

29.2. Complete as frases com os verbos no **infinitivo pessoal simples** ou **composto**.

1. Caso não possas vir, telefona-me.
   No caso de _____
2. É provável que já tenham sido apresentados no congresso anterior.
   É provável _____
3. Espero que tenha desligado o gás quando saí de casa.
   Espero _____
4. Lamento que não tenham podido assistir à estreia.
   Lamento _____
5. Embora tenham muito dinheiro, são pessoas discretas.
   Apesar de _____
6. Não saiam sem que nós tenhamos chegado.
   Não saiam sem _____
7. Embora o tempo tenha estado péssimo, não adiaram as provas de atletismo.
   Apesar de _____
8. Fiquei contentíssimo porque tive a melhor nota.
   Fiquei contentíssimo por _____
9. Não vás para a rua sem que ponhas o casaco.
   Não vás para a rua sem _____
10. Vou precisar da vossa ajuda até que o médico venha.
    Vou precisar da vossa ajuda até _____
11. É lógico que eles pensem de outra maneira.
    É lógico _____
12. Peço-lhe que venha falar comigo.
    Peço-lhe para _____
13. Partiram sem que se tivessem despedido.
    Partiram sem _____
14. É absolutamente necessário que não voltem a repetir tais erros.
    É absolutamente necessário _____
15. Quero que tudo esteja pronto antes que os convidados cheguem.
    Quero que tudo esteja pronto antes de _____

Quanto mais doces comeres,
mais engordas.

Quanto mais me explicas,
mais confuso fico.

orações proporcionais

Quanto mais _____	, mais _____
Quanto mais _____	, menos _____
Quanto mais _____	, melhor _____
Quanto mais _____	, pior _____
Quanto menos _____	, menos _____
Quanto menos _____	, mais _____
Quanto melhor _____	, melhor _____
Quanto pior _____	, pior _____

◇ Usa-se este tipo de expressões para comparar ou contrastar e, consequentemente, para indicar o resultado (lógico ou ilógico) daquilo que exprimimos na 1.ª frase.

> **Quanto mais** doces comeres, **mais** engordas.
> **Quanto mais** estudo, **menos** sei.
> **Quanto mais** caro for o hotel, **melhor** é o serviço.
> **Quanto mais** têm, **mais** querem.

◇ Na 1.ª frase, usa-se:

☐ o futuro do conjuntivo, para exprimir uma ação eventual no futuro.

☐ o presente do indicativo, para falar de ações presentes/futuras, factuais e ditados populares.

1.ª frase		2.ª frase
Quanto +	futuro do conjuntivo presente do indicativo	presente ou futuro do indicativo

Quanto mais habilitações **tiveres**, melhores **são/serão** as oportunidades de emprego.
Quanto menos **vendermos**, pior **será/é** para o negócio.
Quanto piores **forem** as instalações, menos pessoas **vêm/virão**.

Quanto mais me **explicas**, mais confuso **fico**.
Quanto mais me **bates**, mais **gosto** de ti.*
Quanto mais alto se **sobe**, maior é a queda.*

* Ditados populares

30.1. Escolha uma frase do **quadro A** para **combinar** com uma frase do **quadro B**.

A	B
~~Quanto mais esfregares~~	mais depressa recupero a linha
Quanto menos souberem	mais me apetece ficar em casa
Quanto mais tempo estiver à espera	mais clientes perderão
Quanto melhor o conheço	mais sono tenho
Quanto menos comeres	~~mais a cor sai~~
Quanto mais exercícios fizer	mais fraca te sentes
Quanto pior for o serviço	melhor para eles
Quanto mais frio está o tempo	mais impaciente fica
Quanto mais durmo	mais gosto dele

1. *Quanto mais esfregares, mais a cor sai.*
2. _____
3. _____
4. _____
5. _____
6. _____
7. _____
8. _____
9. _____

30.2. Transforme as seguintes frases como no exemplo dado. Atenção aos **graus dos adjetivos/advérbios**!

1. Preocupas-te muito. Por isso ficas muito nervoso.
   Quanto mais te preocupas, mais nervoso ficas.
2. As pessoas têm pouco cuidado com o ambiente, o que é mau para todos nós.
   _____

3. Eles treinam muito. Obtêm, por isso, ótimos resultados.
   _____

4. Se vocês acabarem o trabalho depressa, poderão sair mais cedo.
   _____

5. Há pouco movimento à noite. É perigoso andar na rua.
   _____

6. Está muito calor. Tenho muita sede.
   _____

30.3. Complete com a forma correta dos **advérbios/adjetivos**.

1. Quanto ___*mais*___ tarde me deito, ___*mais*___ me custa levantar cedo no dia seguinte.
2. Quanto _____ for o investimento em Portugal, _____ será para o desenvolvimento do país.
3. Quanto _____ roupa vestires, _____ frio tens.
4. Quanto _____ forem os serviços públicos, _____ queixas haverá.
5. Quanto _____ fuma, _____ é para a saúde dele.
6. Quanto _____ se ganha, _____ se gasta.

dar

☐ **dar com** – descobrir; encontrar.

Vai ser difícil **dar com** a casa deles. Não conheço bem a zona.

☐ **dar-se com** – relacionar-se com; tolerar.

Os dois não **se dão** um **com** o outro. Têm feitios completamente diferentes.

☐ **dar em** – tornar-se; resultar.

Ultimamente não se pode acreditar no que ele diz: **deu em** mentiroso.

☐ **dar para** – estar situado defronte.

As traseiras do escritório **dão para** o parque de estacionamento.

– servir para.

Essa caneta não **dá para** escrever neste tipo de papel.

– ter vocação para.

Só de ver sangue fico maldisposto. Não **dou para** médico, com certeza.

☐ **dar por** – aperceber-se de; reparar em.

Liguei a luz e o rádio e não **deste por** nada. Continuaste a dormir.

ficar

☐ **ficar com** – guardar.

Alguém **ficou com** a minha caneta? Não a encontro em lado nenhum.

☐ **ficar de** – comprometer-se a; combinar.

Ficaram de me vir buscar às 19h00. São 19h30 e ainda ninguém apareceu.

☐ **ficar em** – permanecer.

Hoje **fico em** casa, estou cansadíssimo.

– estar situado.

A nossa casa de férias **fica no** Alentejo, perto de Beja.

☐ **ficar para** – adiar; ser marcado para.

Lamentamos informar, mas a sessão de autógrafos **ficará para** amanhã à noite.

– ser doado.

O colar de diamantes **ficou para** a filha mais velha.

☐ **ficar por** – não concretizar; não realizar.

Saí de casa à pressa e **ficou** tudo **por** fazer.

– acabar.

Achava melhor **ficarmos por** aqui. Amanhã continuamos.

passar

☐ **passar a** – alterar-se; sofrer alteração.

Depois do problema resolvido, **passou a** ser outra pessoa.

– ser promovido.

Com essa especialização, podes **passar a** enfermeira-chefe.

☐ **passar de** – ir além; ultrapassar.

O médico já devia ter chegado. Já **passa das** 15h00.

☐ **passar de ... a** – mudar de situação / condição.

Com os conhecimentos que tem, rapidamente **passará de** assistente **a** professor.

☐ **passar-se (em)** – acontecer; ocorrer.

Passa-se qualquer coisa de estranho **naquela** casa.
O que é que **se passa**?

☐ **passar por** – parecer; dar ideia de.

Da maneira como fala até **passa por** médico.

– ir via.

Quando **passares por** Lisboa, vem visitar-nos.

☐ **passar para** – mudar de lugar; transitar.

Passa os dicionários **para** a prateleira de baixo. Ficam mais à mão.

☐ **não passar de** – ser apenas / não ser mais do que.

Não se pode acreditar nele. Ele **não passa de** um mentiroso.

31.1. Substitua as expressões assinaladas por uma equivalente com o verbo **dar** seguido de **preposição**. Faça as alterações necessárias.

1. Como é que **te estás a relacionar** com o teu novo chefe?

   _____

2. Tentámos tudo e **nada resultou**.

   _____

3. Esse produto não **serve para** soalhos de madeira.

   _____

4. **Não tenho feitio para** ficar em casa sem fazer nada.

   _____

5. Roubaram a mala à senhora e as pessoas que estavam ao pé fingiram **não ter reparado em nada**.

   _____

6. Enquanto não **descobrir** a solução, não descanso.

   _____

7. Tens uma vista maravilhosa. A tua casa **está situada em frente** aos jardins do Palácio.

   _____

31.2. Complete as seguintes frases com o verbo **ficar** seguido de **preposição**, contraindo-a com o artigo quando necessário.

1. Portugal _____ a zona mais ocidental da Europa.

2. Como já não querias aquela bicicleta velha, arranjei-a e _____ ela.

3. O António _____ vir ter connosco à porta do cinema.

4. Isto não _____ aqui! Amanhã quero voltar a este assunto.

5. Se não houver consenso, a votação _____ amanhã.

6. Chegámos tão cansados que não tive coragem de arrumar nada. As malas _____ desfazer.

7. Ninguém responde, o que é muito estranho, pois eles tinham dito que _____ casa.

8. O anel da minha avó _____ mim.

31.3. Substitua as expressões assinaladas por uma equivalente com o verbo **passar** seguido de **preposição**. Faça as alterações necessárias.

1. Está tanta gente ali na esquina. O que é que **terá acontecido**?

_____

2. Finalmente **foi promovido** a chefe de secção.

_____

3. Todos os alunos com uma disciplina em atraso **transitarão** automaticamente para o ano seguinte.

_____

4. Se já tivesses **mudado** os sofás para a parede do fundo, ganhavas mais espaço.

_____

5. Sei que é por timidez, mas tens de cumprimentar as pessoas, senão **pareces** mal-educada.

_____

31.4. Complete com a **preposição** correta, contraindo-a com o **artigo** sempre que necessário.

1. O rio Limpopo passa _____ Maputo.
2. Toda a gente se dá bem _____ ele. É uma pessoa extraordinária.
3. Isto fica _____ outro dia.
4. Não consegui dar _____ a solução do problema.
5. Já passa _____ a hora de fechar.
6. Fiquei _____ me encontrar com eles.
7. Podes ficar _____ as fotografias.
8. Gosta de mostrar que tem dinheiro. Não passa _____ um novo-rico.
9. A janela do meu quarto dá _____ o quintal.
10. É impossível não terem ouvido o barulho. Com certeza fingiram não ter dado _____ nada.
11. Hoje ficamos _____ aqui.
12. Não se dão um _____ o outro.
13. Eu sempre disse que ele não dava _____ professor: não tem paciência nenhuma!
14. Isso passou-se _____ o dia 1 de dezembro de 1640.
15. Com esses óculos até passas _____ professora.
16. Foi difícil dar _____ o restaurante.
17. A campanha foi um fiasco; não deu _____ nada!
18. Já passa _____ o meio-dia e a operação ainda não terminou.
19. Quem é que ficou _____ o meu dicionário?
20. Amanhã vou de férias. Hoje fico _____ o escritório até mais tarde, para que não fique nada _____ fazer.

derivados de *fazer*, *pedir*, *ver* e *vir*

◇ Os verbos *fazer*, *pedir*, *ver* e *vir* são irregulares e, como tal, os seus derivados seguem o mesmo modelo de conjugação.

fazer

☐ **desfazer**   – desmanchar; dissolver.

☐ **perfazer**   – preencher o número de.

☐ **rarefazer-se**   – tornar-se menos denso; dilatar-se.

☐ **refazer**   – fazer novamente; reconstruir.

☐ **refazer-se**   – restabelecer-se.

☐ **satisfazer**   – agradar a; ser suficiente.

pedir

☐ **desimpedir**   – tirar ou remover o impedimento; desobstruir.

☐ **despedir**   – dispensar os serviços de alguém.

☐ **despedir-se**   – dizer adeus.

☐ **expedir**   – enviar; mandar.

☐ **impedir**   – não permitir; interromper; obstruir.

ver

☐ **prever**   – supor; calcular; profetizar.

☐ **rever**   – ver novamente; examinar com cuidado.

vir

☐ **advir**   – resultar.

☐ **convir**   – ser útil, proveitoso.

☐ **intervir**   – interferir.

☐ **provir**   – descender.

32.1. Complete com a forma correta dos verbos derivados de:

fazer

1. Ainda não _____ do susto que apanhou. Coitado! Nem consegue falar.
2. As crianças estiveram a brincar nos quartos e _____ as camas todas.
3. O gás _____ na atmosfera.
4. Acho melhor (tu) _____ a introdução da carta. Não está muito explícita.
5. Esse comprimido tem de ser _____ em meio copo de água.
6. Quando era pequeno, qualquer brinquedo o _____ .
7. Ora deixa cá ver... tudo junto _____ a quantia de 47,25€.
8. Depois do incêndio, tiveram de _____ completamente a fachada do edifício.
9. Ele é muito exigente, não há nada que o _____ .
10. Quando regresso de viagem, o que mais me custa é _____ as malas.

pedir

1. Na totalidade, já _____ 3000 trabalhadores.
2. Há mais de cinco minutos que estou a tentar ligar-lhe, mas o telefone continua _____ .
3. Depois do temporal, as estradas ficaram intransitáveis. Os bombeiros precisaram da ajuda de todos para _____ as vias.
4. A encomenda _____ ontem. Só deve chegar ao destinatário daqui a três dias.
5. Está um carro avariado no meio da rua, _____ a circulação normal do trânsito.
6. Os regulamentos _____ a caça em certas épocas do ano.
7. Vá, meninos, _____ das pessoas que temos de ir embora.

ver

1. Como já se _____ , o espetáculo foi excelente.
2. Gostámos muito de vos _____ . Têm de vir cá a casa mais vezes.
3. Na semana passada (nós) _____ os tempos simples do conjuntivo.
4. Ninguém _____ que isso pudesse acontecer.
5. As provas _____ por uma outra equipa da polícia forense, tendo-se chegado à mesma conclusão.
6. Como as coisas estão, não _____ nada de bom nos próximos tempos.

vir

1. Pode agendar a reunião para a hora que melhor lhe _____ ; estou totalmente disponível.
2. Mesmo _____ de uma família abastada, leva uma vida muito modesta.
3. Não _____ na discussão. Deixa-os gritar e desabafar.
4. Hoje _____ -me sair mais cedo. Tenho uma consulta médica às seis.
5. Muitos espectadores _____ no debate televisivo de ontem, via telefone.
6. Se não for operado já, poderão daí _____ graves consequências.

◇ Os verbos *pôr* e *ter* são irregulares e, como tal, os seus derivados seguem o mesmo modelo de conjugação.

pôr

☐ **compor**	– escrever versos ou música; ajustar; arranjar.
☐ **compor-se**	– ser formado de; constar.
☐ **depor**	– prestar declarações / depoimento.
☐ **dispor**	– pôr em ordem; arrumar.
☐ **dispor-se**	– ter resolvido; estar disposto a.
☐ **expor**	– apresentar; fazer exposição de.
☐ **expor-se**	– mostrar-se.
☐ **impor**	– estabelecer.
☐ **impor-se**	– fazer-se respeitar.
☐ **opor-se**	– ser contrário.
☐ **propor**	– sugerir.
☐ **propor-se**	– oferecer-se.
☐ **repor**	– restituir; reembolsar; suprir (faltas).
☐ **supor**	– presumir; imaginar.
☐ **transpor**	– passar além ou por cima de.

☞ O verbo *pôr* tem acento circunflexo no infinitivo impessoal e na 1.ª e 3.ª pessoas do singular do infinitivo pessoal por ser uma palavra homógrafa da preposição *por*. O mesmo não se verifica com os seus derivados, não sendo, pois, acentuados nas formas terminadas em –*or*.

ter

☐ **abster-se**	– deixar de intervir.
☐ **conter**	– incluir.
☐ **conter-se**	– reprimir-se.
☐ **deter**	– prender; ficar / ter em prisão.
☐ **deter-se**	– demorar-se.
☐ **entreter-se**	– divertir-se; distrair-se; ocupar-se por distração.
☐ **manter**	– sustentar; conservar.
☐ **obter**	– conseguir.
☐ **reter**	– demorar; não deixar sair / passar.
☐ **suster**	– prender; segurar (para que não caia).

☞ Nos derivados de *ter*, o **e** da 2.ª e 3.ª pessoas do singular do presente do indicativo e da 2.ª pessoa do singular do imperativo levam acento agudo (ver regras da acentuação gráfica, Unidade 42).

33.1. Complete com a forma correta dos verbos derivados de:

pôr

1. Eu nunca _____ que isso pudesse acontecer!
2. Não houve votos contra, o que quer dizer que ninguém _____ .
3. Já pensaste como é que vais _____ a mobília na sala?
4. Como raramente ajudo na cozinha, hoje _____ a fazer o jantar.
5. Camões _____ sonetos lindíssimos.
6. Há pouco, não havia leite nas prateleiras do supermercado; espero que já _____ o *stock*.
7. Ainda não houve um atleta que _____ a barreira dos 2,5 metros no salto em altura.
8. _____ a tua gravata! O nó não está centrado.
9. Os trabalhos feitos pelas crianças da primária estão _____ no pavilhão.
10. Vemo-la constantemente na televisão e em locais públicos. Acho que _____ demasiado.
11. Se o professor _____ mais nas aulas, não teria problemas de indisciplina.
12. Tiveram de evacuar a sala. Nem o juiz conseguiu _____ a ordem.
13. Foram várias as testemunhas que _____ a favor do réu.
14. (Eu) _____ que fôssemos todos jantar fora.
15. Creio que eles já _____ o dinheiro que tinham levado.
16. Já _____ o problema à comissão e agora estou à espera duma resposta.
17. A obra completa _____ de 12 volumes.
18. _____ que vocês já se conhecem, ou estou enganado?

ter

1. Ficaram _____ na estrada mais de três horas por causa da neve.
2. Em vez de sair com os amigos, o Rui _____ em casa a jogar *PSP*.
3. Nem voto contra, nem a favor: _____ .
4. Apesar de ter sido atacado por toda a gente, _____ sempre a mesma postura calma.
5. Depois de ter visto tamanha injustiça, (eu) não _____ e disse-lhes tudo sem papas na língua.
6. Estás com soluços? Então _____ a respiração durante 15 segundos.
7. Com o pouco que ela ganhava, não sei como é que ela _____ aquele nível de vida.
8. Nos Jogos Olímpicos de Pequim, Portugal _____ duas medalhas: atletismo e triatlo.
9. Os três livros _____ todas as estruturas gramaticais da língua.
10. Os traficantes _____ na fronteira de Vilar Formoso.
11. Aquela criança _____ com qualquer brinquedo; não dá trabalho nenhum.
12. Ela _____ a ver montras e chegou atrasada ao encontro.

ir e *vir* como **verbos auxiliares**; perifrásticas

ir + infinitivo

◇ no **presente do indicativo**
☐ indica intenção firme de realização da ação ou certeza de que ela vai ser realizada no futuro próximo.

> O primeiro-ministro **vai falar** logo à noite na televisão.
> Assim que chegar a casa, **vou telefonar** à Rita.

◇ no **imperfeito do indicativo**
☐ exprime o discurso indireto da situação acima indicada.

> O João disse que **ia telefonar** à Rita, quando chegasse a casa.

☐ indica intenção de realização da ação, cuja execução é, no entanto, posta em dúvida.

> — Vai já sair?
> — Sim, eu **ia almoçar**, mas se precisar de mim, posso ir mais tarde.

◇ no **pretérito perfeito simples do indicativo**
☐ indica que a ação anteriormente planeada já foi realizada.

> Já **fui comprar** os bilhetes para o concerto.

☐ indica movimento, já iniciado, em direção a determinado fim, exprimindo intenção de realização da ação.

> A Rita saiu; **foi buscar** o filho à escola.

ir + gerúndio

◇ no **presente do indicativo**
☐ indica o aspeto durativo de uma ação a iniciar ou a decorrer.

> **Vai andando**, que eu já lá vou ter.
> Enquanto as lojas não abrem, **vou vendo** as montras.

◇ no **pretérito perfeito simples do indicativo**
☐ indica o aspeto durativo de uma ação passada.

> Enquanto não chegavas, **fui fazendo** o jantar.

◇ no **imperfeito do indicativo**
☐ indica a realização gradual de uma ação passada, realçando que esta se desenvolveu a pouco e pouco ou por etapas sucessivas.

> As notícias **iam chegando** ao longo do dia.

☐ indica uma ação cuja realização esteve iminente (mas não se concretizou).

> O pavimento está muito escorregadio; já **ia caindo** por duas vezes.

ir e vir + infinitivo precedido da preposição a

◇ **ir a + infinitivo**
☐ indica que a ação foi apenas iniciada.

> Eles já **vão a sair**, estão aí dentro de 10 minutos.
> Ela **ia a entrar** no carro, quando a chamaram.

◇ **vir a + infinitivo**
☐ indica o resultado final da ação.

> Como era de prever, ele **veio a ser** reeleito presidente.
> Mais cedo ou mais tarde, tudo se **vem a descobrir**.
> Talvez ainda **venhas a ter** problemas por seres tão frontal.

34.1. Complete com o verbo **ir** na forma correta seguido de **infinitivo**.

1. Eles não devem demorar. _____ (tomar) um café.

2. Acho que não _____ (deixar) fugir esta oportunidade.

3. _____ (desligar) o telefone. Quero ter a certeza de que ninguém nos _____ (interromper).

4. O Sr. Moreira já vem aí. _____ só _____ (levantar) dinheiro ao banco.

5. — Porque é que não estavas em casa?

   — _____ (fazer) compras.

6. — Está pronta, D. Amélia?

   — _____ só _____ (enviar) este *email*, mas pode ficar para amanhã.

7. Ele sempre afirmou que um dia _____ (ganhar) a lotaria. E esse dia chegou!

8. Sabiam que _____ (encontrar) dificuldades, mas mesmo assim não desistiram.

34.2. Complete com o verbo **ir** na forma correta seguido de **gerúndio** do verbo entre parêntesis.

1. Se quiseres, eu _____ (preparar) a salada enquanto pões a mesa.

2. _____ (descer). Estou quase pronto.

3. À medida que o Sr. Nunes _____ (ficar) mais velho, _____ (perder) a memória. Hoje já não se recorda de muitos dos colegas.

4. — O que é que te aconteceu? Estás branco!

   — _____ (ter) um acidente. Quase que _____ (atropelar) um velhote, mas felizmente consegui desviar-me a tempo.

5. Que grande queda! Tu _____ (partir) a cabeça!

6. Ele era um atleta com muita garra. À medida que _____ (aproximar-se) da meta, _____ (ganhar) forças e acabava por vencer.

7. O miúdo _____ (cair), mas o pai agarrou-o a tempo.

8. Como nunca mais vinhas, _____ (adiantar) o trabalho, para não nos atrasarmos.

34.3. Complete com a forma correta dos verbos **ir** e **vir** seguidos de **infinitivo** precedido da preposição **a**.

1. Foi só no fim de semana passado que eu _____ (saber) de toda a história.

2. Finalmente desvendámos o mistério. _____ (descobrir) a solução meramente por acaso.

3. Eu _____ (subir) as escadas, quando ouvi o telefone tocar.

4. — Então, vocês não vêm?

   — Já _____ (sair), mas a mãe chamou-nos.

5. — Encontraste a tua carteira?

   — Felizmente sim. _____ (encontrar) a carteira num dos meus casacos.

6. Ontem, quando nós _____ (chegar) a casa, vimos-te a passar.

7. Se jogarem sempre tão bem como hoje, talvez _____ (ganhar) o campeonato.

8. Já _____ (fechar) a porta, quando me lembrei que não tinha trazido o telemóvel.

se – pronome; apassivante; conjunção

pronome

◇ É a forma da 3.ª pessoa (singular e plural, feminino e masculino) do pronome:

☐ reflexo – indica que a ação referida pelo verbo recai em quem a praticar, isto é, sobre o sujeito.

O avô senta-**se** sempre nesse cadeirão. É dele, mais ninguém **se** senta lá.
A Joana cortou-**se** com a faca, quando estava a descascar batatas.
Todos os espectadores **se** levantaram para aplaudirem os atores.

☐ recíproco – indica que a ação referida pelo verbo é mútua entre duas ou mais pessoas.

O João e o Nuno não **se** viam há imenso tempo. Encontraram-**se** ontem, por acaso, e abraçaram-**se**.
As crianças dão-**se** muito bem umas com as outras.

☐ indefinido – usa-se quando o sujeito é indeterminado, desconhecido ou irrelevante para informação contida na frase; tem valor de "alguém" ou "as pessoas em geral" e o verbo, intransitivo, está sempre no singular.

Aqui *trabalha*-**se**, não **se** brinca.
Aqui *está*-**se** bem.

apassivante

◇ Dá valor passivo a frases cuja forma verbal (**sempre na 3.ª pessoa**) está na voz ativa e cujo agente da ação é indeterminado.

◇ O verbo concorda em número – singular ou plural – com a expressão nominal, sujeito da oração passiva, que se coloca sempre depois deste.

***Alugam*-se** <u>quartos</u> = Quartos são alugados	agente da ação indeterminado; sujeito no plural: forma verbal na 3.ª pessoa do plural.
***Fala*-se** <u>inglês</u> = Inglês é falado	agente da ação indeterminado; sujeito no singular: forma verbal na 3.ª pessoa do singular.

conjunção

◇ Introduz uma oração subordinativa:

☐ integrante – completa o sentido da oração principal, desempenhando em relação a esta a função de complemento direto, podendo ser, ao mesmo tempo, interrogativa indireta.
Uma vez que refere factos reais, a forma verbal está no modo *indicativo*.

Não sei **se** *posso* ir contigo ao cinema.
Ele perguntou-me **se** eu *tinha visto* o Pedro.

☐ condicional – indica uma condição, exprime uma hipótese, relativamente ao enunciado da oração principal.
Neste caso, e uma vez que se refere a factos eventuais, hipotéticos, a forma verbal está no modo *conjuntivo*.

Vou contigo ao cinema, **se** *puder*.
Se *tivesse* dinheiro, trocava de carro.

35.1. Transforme as seguintes frases de modo a usar o **se** indefinido.

1. As pessoas dizem que este inverno vai ser muito chuvoso.
_____

2. As pessoas esperam que a greve dos transportes termine rapidamente.
_____

3. Em África, infelizmente, ainda muita gente morre de fome.
_____

4. Finalmente, as pessoas souberam a verdade.
_____

5. As pessoas pensam que ele enriqueceu com negócios ilegais.
_____

35.2. Transforme as seguintes frases de modo a usar o **se** apassivante.

1. No final da reunião, são tiradas as conclusões.
_____

2. Aqui a roupa é lavada e engomada.
_____

3. Nesta garagem é possível alugar bicicletas.
_____

4. Aquela pastelaria aceita encomendas para o Natal.
_____

5. Esta loja admite empregados.
_____

35.3. Transforme a 1.ª frase de modo a usar o **se** condicional.

1. Felizmente nem todos pensam como tu.
   Se todos pensassem como tu _____, ainda vivíamos na Idade Média!
2. Afinal ela não veio à inauguração.
   _____, teria gostado com certeza.
3. É uma pena viverem tão longe.
   _____, víamo-nos mais vezes.
4. O tempo está péssimo.
   _____, podíamos ir sair.
5. As passagens aéreas são muito caras.
   _____, íamos visitar os tios a Luanda.

35.4. Passe para o **discurso indireto** as seguintes frases, fazendo as transformações necessárias.

1. «Alguém ficou com dúvidas?», quis saber o professor.
   O professor quis saber _____.
2. «Se tiver tempo, ainda passo por tua casa», disse o Jorge.
   O Jorge disse à irmã que _____.
3. «Tem uma caneta que me empreste?», perguntou o homem.
   O homem perguntou-me _____.
4. «Posso sair mais cedo?», perguntou a Rita.
   A Rita perguntou ao chefe _____.
5. «Se puder sair mais cedo, vou com vocês ao cinema», disse a Rita.
   A Rita disse-nos que _____.

35.5. Complete as frases com a forma correta dos verbos dados, usando o pronome pessoal **se**.

1. O Miguel e o Rui _____ (encontrar) no fim de semana passado em minha casa.
   Há anos que não _____. (ver)
2. Hoje de manhã, enquanto o António _____ (barbear), _____ (cortar) no queixo com a lâmina.
3. Infelizmente os meus dois filhos _____ (dar) como cão e gato.
4. A minha mulher _____ (levantar) todos os dias às seis da manhã: é que gosta de _____ (arranjar) sem pressas.
5. Em tempos eles _____ (zangar). Agora que trabalham os dois no mesmo departamento, continuam a não _____ (falar).

frases enfáticas;
expressões de realce

◇ Além da entoação com que a frase poderá ser dita ou deverá ser lida, pode-se recorrer a certas expressões ou palavras, para enfatizar toda ou parte da mensagem.

◇ Estas expressões ou palavras podem ser retiradas da frase sem lhe alterar o sentido, uma vez que servem apenas para tornar a mensagem mais "expressiva", mais "viva", ao dar realce a determinados elementos (traduzindo assim os sentimentos ou a opinião do emissor).

☐ **é que** (a) e **que** (b)
Enfatizam, essencialmente, os elementos que os precedem.

> (a) *Como* **é que** te chamas?
> *A que horas* **é que** acabam as aulas?
> Pergunta-lhe *porque* **é que** ele chega sempre atrasado.
> Então *tu* **é que** és o novo diretor. Parabéns!

> (b) *Há horas* **que** ando à sua procura.
> *Quase* **que** não te conhecia, com essa barba.

☞ A expressão **é que** usa-se com muita frequência nas frases interrogativas.

☐ **ser** (a) e **ser (...) que** (b)
Enfatizam o elemento da frase que está à sua direita (a) ou que está no meio (b); fica sempre na 3.ª pessoa do singular e no mesmo tempo do verbo que o precede.

> (a) Vocês não querem   **é**   *trabalhar.*
>   ↓   ↓   ↓
> presente do   3.ª pessoa do sing.   elemento a que
> indicativo   do presente do ind.   se está a dar ênfase

> Eu gostava   **era**   *de visitar o Japão.*
>   ↓   ↓   ↓
> imperfeito do   3.ª pessoa do sing.   elemento a que
> indicativo   do imperfeito do ind.   se está a dar ênfase

> (b) **Foi** *aqui* **que** nos conhecemos.
> **Era** *numa ilha das Caraíbas* **que** eu queria passar férias.
> **É** *contigo* **que** eu quero falar.

☐ **cá** e **lá**
Enfatizam o sujeito da frase: **cá** põe em realce formas da 1.ª pessoa e **lá**, formas da 2.ª e 3.ª pessoas.

> *Eu* **cá** vou ao cinema logo à noite.
> *Tu* **lá** sabes o que vais fazer.
> *Eles* **lá** acabaram por se entender.

☐ **pronome pessoal complemento circunstancial** precedido da preposição **a**
Enfatiza o pronome pessoal complemento direto ou indireto, isto é, a(s) pessoa(s) a que estes pronomes se refere(m).

> O pai emprestou-*me* o carro, **a mim**.
> **A ti**, não *te* dou nada, porque não mereces.
> Convidaram-*no* **a ele** para treinador da equipa.
> Saiu-*lhe* **a ela** o 1.º prémio do sorteio. Que sorte!
> **A si**, vão contactá-*lo* amanhã, Sr. Silva.
> Talvez ele *vos* diga **a vocês** a verdade.

36.1. Usando o verbo **ser**, enfatize as seguintes frases como no exemplo.
1. Decidi ir diretamente ao chefe expor o problema.
   Decidi foi ir diretamente ao chefe expor o problema.
2. Não queres fazer nada.
   _____
3. Gostava que pudessem vir.
   _____
4. Ela só pensa em divertir-se.
   _____
5. Venderam-te uma imitação.
   _____
6. Convinha que estivessem todos presentes.

36.2. Encaixe as partículas de realce **cá** e **lá** nas seguintes frases.
1. Eu preferia ir ao cinema. E tu?
   Eu cá preferia ir ao cinema. E tu?
2. Vocês devem saber o que estão a fazer.
   _____
3. Ela voltou a cometer o mesmo erro.
   _____
4. Conseguiste vender o carro por um bom preço.
   _____
5. Eu vou ficar a tomar conta das crianças.
   _____
6. Depois de esperarem horas, conseguiram uma boleia.
   _____

36.3. Faça de novo as frases, usando a preposição **a** seguida do **pronome pessoal complemento circunstancial**. Atenção à colocação na frase.
1. Pagaram-**me** todas as despesas da viagem.
   A mim, pagaram-me todas as despesas da viagem.
2. Ainda **lhe** ficou a dever muito dinheiro. Coitado do João!
   _____
3. Ninguém **nos** avisou da reunião.
   _____
4. De certeza que **o** vão eleger para o próximo mandato.
   _____
5. Chamaram-**na** pelo intercomunicador, D. Teresa. Não ouviu?
   _____
6. Não **te** empresto mais nenhum livro.

36.4. Use a expressão de realce **ser ... que** nas seguintes frases.
1. A maior parte dos portugueses faz férias **no Algarve**.
   É no Algarve que a maior parte dos portugueses faz férias.
2. Os melhores anos da minha juventude, passei-os **na escola**.
   _____
3. Iam sempre ao cinema **à sexta-feira à noite**.
   _____
4. **De manhã e ao final da tarde** há sempre muito trânsito.
   _____
5. Queria ouvir primeiro **a vossa opinião sobre este assunto**.
   _____
6. Ela gosta de desabafar **comigo**.

◇ **Relação semântica entre as palavras**

☐ Sinonímia

Palavras sinónimas são palavras que têm um significado idêntico, ou muito semelhante, ou seja, que se podem substituir na mesma frase, sem lhe alterar o sentido.

Que dia **lindo**!	=	Que dia **bonito**!
O João **vive** em Lisboa.	=	O João **mora** em Lisboa.

☐ Antonímia

Palavras antónimas são palavras que têm significados opostos, ou seja, que, ao serem substituídas numa frase, esta fica com o sentido contrário.

Está muito **calor** nesta sala.	≠	Está muito **frio** nesta sala.
Ele mora **perto** da escola.	≠	Ele mora **longe** da escola.

◇ **Relação fonética e gráfica entre as palavras**

☐ Homonímia

Palavras homónimas são palavras com pronúncia e grafia igual (isto é, que se pronunciam e escrevem da mesma maneira), mas com significado diferente.

Antigamente, a comunicação entre os povos **era** bastante complicada.
Atualmente, na **era** das telecomunicações, tudo está facilitado.
era (verbo ser) *vs.* era (época)

☐ Homofonia

Palavras homófonas são palavras com pronúncia igual, mas com grafia e significado diferentes.

– Gosto muito de bolo de **noz**.
– E **nós** também!
noz (fruto seco) *vs.* nós (pronome pessoal)

☐ Homografia

Palavras homógrafas são palavras com grafia igual, mas com pronúncia e significado diferentes.

A roupa já está **seca**. Agora é só engomar.
Moçambique é um país castigado pela **seca**.
seca (/ ê / = enxuta) *vs.* seca (/ é / = falta de chuva)

☞ A acentuação gráfica não é considerada, ou seja,
   pôr (verbo) e ***por*** (preposição) são palavras homógrafas.

☐ Paronímia

Palavras parónimas são palavras com significado diferente, mas com grafia e, **essencialmente**, **pronúncia muito parecidas**, o que, por vezes, pode dar origem a confusão.

Encontrei hoje o João e ele mandou **cumprimentos** para si, mãe.
A sala tem três metros e meio de **comprimento**.
cumprimento (saudação) *vs.* comprimento (medida)

Unidade 37

37.1. palavras homónimas

Para cada palavra dada, construa duas frases de modo a explicitar os seus diferentes sentidos.

1. **canto** – *chilrear; som dos pássaros.* vs. – *ângulo reentrante.*

   a) *De manhã ouço o canto dos pássaros* . b) *O móvel do canto é muito antigo* .

2. **era** a) _____ . b) _____ .

3. **fumo** a) _____ . b) _____ .

4. **rio** a) _____ . b) _____ .

5. **são** a) _____ . b) _____ .

6. **vaga** a) _____ . b) _____ .

37.2. palavras homófonas

Complete as frases com a palavra adequada e explicite a diferença entre ambas, como no exemplo.

1. **aço** – *liga de metal*   **asso** – *forma do verbo assar*

   _____ mais sardinhas para quem quiser.

   Para segurar esse quadro tão pesado é melhor um prego de _____ .

2. **acento** – _____ .   **assento** – _____ .

   Ainda não percebi o uso do _____ circunflexo.

   Limpa o _____ primeiro. Está molhado.

3. **à** – _____ . **há** – _____ . **ah** – _____ .

   Nesta época _____ sempre muita gente na rua.

   Estou _____ espera do autocarro _____ meia hora.

   _____ ! Não me diga!

4. **conserto** – _____ .   **concerto** – _____ .

   A máquina já não tem _____ .

   O _____ da Mariza foi um êxito.

5. **houve** – _____ .   **ouve** – _____ .

   _____ bem o que te digo. Não volto a repetir!

   Neste último verão _____ muitos incêndios.

6. **coser** – _____ .   **cozer** – _____ .

   Podes pôr os legumes a _____ .

   Preciso de linha castanha para _____ o botão.

7. **eminente** – _____ .   **iminente** – _____ .

   Destacou-se como uma _____ figura no campo científico.

   Já evacuaram o prédio, porque o seu desmoronamento está _____ .

8. **elegível** – _____.   **ilegível** – _____.

Por só agora ter entrado para o partido, não é _____ para esse cargo.

Não consigo decifrar a receita. A letra é completamente _____.

9. **roído** – _____.   **ruído** – _____.

Que _____ tão estranho! De onde virá?

O meu casaco preferido foi _____ pelas traças.

10. **traz** – _____.   **trás** – _____.

Importa-se de chegar o carro um pouco para _____?

Quem é que _____ as bebidas?

11. **tenção** – _____.   **tensão** – _____.

Antes do início do jogo, havia grande _____ entre os adeptos das duas equipas.

Se não tiver muito trabalho e sair mais cedo, faço _____ de ir com vocês ao cinema.

37.3. palavras homógrafas

Faça frases com os seguintes pares de palavras, de modo a ilustrar os seus diferentes sentidos.

1. a) **cor**   b) **cor**

a) _____.   b) _____.

2. a) **habito**   b) **hábito**

a) _____.   b) _____.

3. a) **pode**   b) **pôde**

a) _____.   b) _____.

4. a) **secretaria**   b) **secretária**

a) _____.   b) _____.

37.4. Construa frases com os seguintes pares de palavras de modo a exemplificar os seus diferentes significados.

1. a) **cerca** – nome   b) **cerca** – verbo

a) _____.   b) _____.

2. a) **cópia** – nome   b) **copia** – verbo

a) _____.   b) _____.

3. a) **governo** – nome   b) **governo** – verbo

a) _____.   b) _____.

4. a) **por** – preposição   b) **pôr** – verbo

a) _____.   b) _____.

5. a) **sábia** – nome   b) **sabia** – verbo

a) _____.   b) _____.

37.5. palavras parónimas

Construa frases com os seguintes pares de palavras de modo a ilustrar os seus significados.

1. a) **crer**   b) **querer**

   a) _____ .   b) _____ .

2. a) **cumprimento**   b) **comprimento**

   a) _____ .   b) _____ .

3. a) **evasão**   b) **invasão**

   a) _____ .   b) _____ .

4. a) **previdente**   b) **providente**

   a) _____ .   b) _____ .

5. a) **prefeito**   b) **perfeito**

   a) _____ .   b) _____ .

37.6. sinónimos

Qual das quatro hipóteses é que tem o significado mais próximo da palavra destacada?

1. Apesar de já estar na casa dos quarenta, continua com ótimo **aspeto**.
   a) carácter   b) ar   c) feitio   d) rosto

2. Talvez por ser **tímida** é que não gosta de falar em público.
   a) fraca   b) sincera   c) envergonhada   d) corajosa

3. O espetáculo de ontem foi simplesmente **sensacional**.
   a) estupendo   b) importante   c) enfadonho   d) maçador

4. Nunca o ouvi falar de uma maneira tão **carinhosa**. Habitualmente é uma pessoa muito ríspida.
   a) lenta   b) exaltada   c) amarga   d) afetuosa

5. A sua **pretensão** era vir a ser médico cardiologista.
   a) vaidade   b) previsão   c) ambição   d) projeção

37.7. antónimos

Qual o contrário das palavras / expressão assinaladas?

1. Não achas que a comida está muito **salgada**? _____
2. A seleção nacional jogou claramente **à defesa**. _____
3. Tragam as malas e os sacos para **baixo**. _____
4. O vestido que me emprestaste para o casamento está-me muito **largo**. _____
5. A manifestação está prevista para o **fim** da tarde. _____

conetores de adição, causa, conclusão, consequência, explicitação e finalidade

◇ Conetores são palavras ou expressões que interligam segmentos linguísticos (orações, frases, períodos, parágrafos), estabelecendo uma relação semântica entre eles e dando coesão ao discurso oral e escrito.

relação semântica	função	conetores
adição	acrescentar informação	além disso, além do mais, assim como, bem como, igualmente, do mesmo modo, e, não só … como (também), não só … mas também, também, tanto … como, etc.
causa	indicar o motivo	dado que, devido a, em virtude de, graças a, já que, pois, por causa de, porque, uma vez que, visto (que), etc.
conclusão	indicar o fim	concluindo, em conclusão, em resumo, em síntese, em suma, então, finalmente, para concluir, por fim, por último, etc.
consequência	indicar o resultado	assim, consequentemente, daí que, deste modo, de modo que, de tal forma que, é por isso que, em consequência, logo, por isso, por tudo isto, tanto … que, tão … que, etc.
explicitação	introduzir esclarecimentos ou retificações	aliás, é o caso de, em particular, isto é, isto (não) significa que, melhor dizendo, nomeadamente, ou melhor, ou seja, por exemplo, quer (isto) dizer que, por outras palavras, etc.
finalidade	indicar a intenção ou o objetivo	a fim de (que), com a intenção de (que), com o intuito de (que), com o objetivo de, de modo a, para (que), etc.

Come-se bastante bem nesse restaurante. *Além disso*, é muito em conta.

Graças à ajuda dos vizinhos, conseguiram acabar as pinturas antes do prazo previsto.

(…) *Em síntese*, podemos identificar vários benefícios no uso das tecnologias da informação em contexto educativo.

Deixei o meu passe em casa, *por isso* tive de comprar um bilhete.

O governo contradiz o programa apresentado na campanha eleitoral, *por outras palavras*, não está a cumprir as promessas da campanha.

Discursou pausadamente *com o intuito de que* todos o compreendessem.

38.1. Identifique os conetores e as suas respetivas funções.

1. O jornalista trabalha para a objetividade da mensagem, quer isto dizer que, não trabalha a mensagem com o intuito de servir os seus interesses pessoais nem com o objetivo de servir o interesse do público.

2. Cada vez mais os alunos têm dificuldades tanto na compreensão como na construção de textos narrativos devido ao escasso contacto que têm com livros. De modo a desenvolver a capacidade de contar e de escrever, o aluno tem de saber ouvir e ler. Aliás, quando se lhes perguntou sobre se costumavam ler, pelo menos um terço revelou não ler, ou ler apenas os textos obrigatórios, nomeadamente os que o professor dava nas aulas de língua portuguesa. Em suma, é o contacto assíduo com o texto que vai ajudar o aluno a ganhar a consciência clara do que é o texto narrativo e a perceber a forma como ele deve ser organizado. Por tudo isto, o professor assume um papel fundamental no desenvolvimento de atividades com o objetivo de permitir que o aluno trabalhe com o texto, não só ouvindo e lendo, mas também contando e escrevendo.

3. Graças aos dados obtidos através dos Censos é possível conhecermos melhor os indivíduos bem como as suas condições de habitabilidade. Deste modo, ficamos a saber quantos somos, onde e como vivemos.
   Estes dados são, assim, fundamentais para identificar, por exemplo, o número de escolas necessário assim como o local onde devem ser construídas.
   Finalmente, podemos dizer que os Censos, além de serem uma fonte única, são igualmente uma fonte renovável de dados essenciais para a análise da estrutura social e económica de um país.

conetor	função

38.2. Complete com o conetor adequado.

1. O envelhecimento da população poderá ter impacto na economia, _____ o número de potenciais trabalhadores poderá diminuir. (**causa**)

2. _____ o crescimento económico é posto em causa _____ há menos gente a querer trabalhar nas fábricas e a construir estradas. (**explicitação**) / (**causa**)

3. _____ não é de admirar que a política do filho único venha a ser posta em causa. (**consequência**)

4. Um estudo sobre a população revela uma realidade assustadora _____ aos enormes fluxos migratórios. (**causa**)

5. _____, quase metade da população vive agora em cidades. (**adição**)

6. A colaboração de todos, _____ na adesão à resposta pela internet, superou todas as expectativas, tendo ultrapassado os resultados já conhecidos noutros países. (**explicitação**)

7. Tudo foi planeado _____ não houvesse falhas. (**finalidade**)

8. _____ as condições atmosféricas o permitiram, o vaivém da NASA foi lançado com sucesso. (**causa**)

9. A bordo vai uma experiência científica _____ ajudar a desvendar os segredos da antimatéria, _____, um dos maiores enigmas do universo. (**finalidade**) / / (**explicitação**)

10. Reis e rainhas, príncipes e princesas, _____ fortunas e heranças continuam a ser a receita para um bom conto de fadas da era moderna. _____, todos gostam de um final feliz. (**adição**) / (**conclusão**)

38.3. Reescreva as frases usando conetores com a relação semântica indicada. Faça as alterações que achar necessárias.

1. Há atletas que são desqualificados pelo consumo de substâncias ilegais. (**causa**)

_____

_____

2. A partir de hoje, a circulação de comboios entre Covilhã e Guarda está suspensa; decorrem obras de melhoramento da linha. A ligação entre as duas cidades é assegurada por autocarro. (**causa**) / / (**consequência**)

_____

_____

3. Jurista e professor universitário, terá agora de desempenhar o papel de líder político e espiritual. (**adição**)

_____

_____

4. Os estudantes querem promover uma iniciativa legislativa popular a ser apresentada na Assembleia da República contra a precariedade no trabalho. (**finalidade**)

_____

_____

5. Muito se pode atribuir à crise económica, que levou a que os portugueses refreassem o uso do seu carro. O aumento das energias renováveis deu o seu contributo. (**explicitação**) / (**adição**)

_____

_____

38.4. Complete as frases.

1. O irmão da Sara tem vários amigos ingleses. Daí que _____

_____

2. Abriram todas as janelas para que _____

_____

3. Não só tem sido sempre um excelente profissional, como _____

_____

4. Não tenho muitas oportunidades de praticar o meu inglês. Por isso _____

_____

5. A proposta foi no sentido de equiparar os salários entre o sector público e privado, ou seja, _____

_____

◇ Os conetores de contraste, tal como o nome indica, indicam relações de contraste ou de oposição.

ainda que	embora	mesmo que	nem que	se bem que
	apesar de	não obstante		

☐ Contrastam duas ideias, ligando duas orações numa frase.

Ainda que me *agrade*, não vou comprar o vestido.

Perderam o jogo, *embora fossem* a melhor equipa em campo.

Apesar dos contratempos, continua a ir a todas as entrevistas de emprego.

Não obstante a decisão *ser acertada*, tenho receio das reações.

ainda que / embora / mesmo que / nem que / se bem que são seguidos do verbo no conjuntivo.
(ver unidade 2)

apesar de / não obstante podem ser seguidos por um nome ou pelo verbo no infinitivo pessoal.
(ver unidade 10)

apesar disso	ainda assim	mesmo assim
contudo	porém	no entanto	por outro lado

☐ Contrastam duas ideias em duas frases.

Não tem tido respostas positivas. *Apesar disso*, continua a ir a todas as entrevistas de emprego.

Não concordo com os vossos métodos de trabalho. Os resultados, *porém*, estão à vista.

A explicação dada foi esclarecedora. *Contudo*, ainda subsistem algumas dúvidas.

ao passo que	enquanto que

☐ Contrastam um facto ou uma opinião sobre uma pessoa, um local, um animal ou uma realidade.

A Teresa é muito aplicada, *ao passo que* a irmã raramente tem bons resultados na escola.

Enquanto que no Norte chove muito, o Sul é mais quente e seco.

39.1. Sublinhe o conetor adequado. Ambos podem estar corretos.

1. Chegámos a horas, (embora / apesar de) tivéssemos saído de casa tarde.
2. Gostei bastante do curso, (ainda que / enquanto que) tenha sido muito difícil.
3. Dissemos-lhe que o arranjo era caríssimo. (Mesmo assim / Embora), ela decidiu mandar arranjá-lo.
4. (Mesmo que / Se bem que) sejam caríssimos, os bilhetes para o concerto vão esgotar-se rapidamente.
5. Prefiro ir de férias para o campo, (enquanto que / apesar disso) a maioria dos meus amigos gosta mais de praia.

39.2. Complete o parágrafo com os seguintes conetores:

contudo	mesmo assim	apesar de	embora	no entanto	ainda que	não obstante

Há já muitos anos que as empresas produtoras de cigarros são obrigadas por lei a imprimir avisos sobre os malefícios do tabaco nos maços de cigarros, _____ afirmarem que isso as poderia arruinar. _____, parece que não fez grande diferença. As pessoas sabem que fumar prejudica gravemente a sua saúde e a dos outros. _____, continuam a fazê-lo, _____ as advertências. _____ algumas pessoas fossem a favor de uma lei que banisse os cigarros, o governo não está disposto a debater a questão. _____, as medidas antitabágicas produziram efeito em fumadores ativos, como é o meu caso. _____ não tenha deixado de fumar, reduzi o ato consideravelmente.

39.3. Combine os elementos de cada coluna.

A	B	C
Muitas pessoas desconhecem que eles,	não obstante	as audiências continuam a subir.
Conseguimos bons resultados	enquanto que	poucos são os que se preocupam.
A fraca qualidade de algumas telenovelas é uma realidade.	embora	a irmã é muito extrovertida.
Ele parece ser tímido e calmo	porém,	vivam juntos, não são casados.
O ambiente encontra-se degradado.	contudo,	a recessão.

1. _____
2. _____
3. _____
4. _____
5. _____

39.4. Ligue as frases com os conetores dados e faça as alterações necessárias.

1. É uma ótima cidade para se visitar. Tem problemas terríveis de trânsito. (ainda que)
   _____

2. Penso que consegues. Não é fácil. (apesar de)
   _____

3. Não apreciei o filme. Os atores e o realizador eram conhecidos. (embora)
   _____

4. Ela é a mais nova do grupo. Tem-se revelado melhor que os colegas mais antigos. (se bem que)
   _____

5. Prefiro assim. É mentira. (mesmo que)
   _____

◇ Chamam-se **derivadas** as palavras que se formam acrescentando pequenos elementos antes ou depois da palavra primitiva (palavra original, isto é, que não se forma a partir de outra). Se o elemento se coloca antes da palavra primitiva, chama-se **prefixo**; se se coloca depois, chama-se **sufixo**. Há palavras que podem ser formadas simultaneamente por prefixos e sufixos.

Verifique:

> palavra primitiva – **feliz**
> palavra derivada por prefixação – **in**feliz
> palavra derivada por sufixação – feliz**mente**
> palavra derivada por prefixação e sufixação – **in**feliz**mente**

◇ As palavras assim formadas adquirem novos significados, ou seja, os prefixos e os sufixos conferem diferentes sentidos às palavras.

◇ **Palavras derivadas por prefixação**

☐ A ideia de **negação** ou **oposição** é dada pelos prefixos **des-**, **i-**, **ir-**, **im-** e **in-**.

> Fiquei muito **des**contente com o teu comportamento.
> Não sei porquê, mas sinto-me **in**feliz.

☐ A ideia de **movimento para dentro** e **movimento para fora** é dada pelos prefixos **i-**, **im-** e **e-**, **ex-**, respetivamente.

> Nos anos 60, muitos foram os portugueses que **e**migraram para França.
> Há muitos **i**migrantes africanos a viver em Portugal.
> Portugal **im**porta mais produtos do que aqueles que **ex**porta.

☐ A ideia de **anterioridade** é dada pelo prefixo **pre-**.

> De acordo com a **pre**visão meteorológica, amanhã vai chover.

☐ A ideia de **repetição** é dada pelo prefixo **re-**.

> Por tua causa, vou ter de **re**fazer o trabalho todo.

☐ A ideia de **união**, **companhia** é dada pelos prefixos **co-**, **com-**, **con-**.

> É um trabalho de equipa e, como tal, todos irão **com**participar nele.
> O objetivo da festa é a **con**fraternização entre todos os **co**laboradores da empresa.

◇ **Palavras derivadas por sufixação**

☐ o sentido de **começo de uma ação** ou **passagem para um estado** é dado pelo sufixo verbal **-ecer**.
> Não gosto nada do inverno: só são 17h30 e já está a <u>anoit**ecer**</u>.
> Com tantas preocupações, vais <u>envelh**ecer**</u> antes do tempo!

☐ o sentido de **realização de uma ação** é dado pelos sufixos verbais **-itar** e **-izar**.
> As novas tecnologias vieram <u>facil**itar**</u> a vida a toda a gente.
> Ainda há regiões do mundo para <u>civil**izar**</u>.

☐ o sentido de **modo** é dado pelo sufixo adverbial **-mente**.

☞ Adjetivo no singular, feminino.

> Respondeu a todas as questões corret*a***mente**.

☐ o sentido de **profissão**, **ocupação** é dado pelos sufixos nominais **-ante**, **-eiro**, **-ista**, **-or**.
> O <u>jornal**eiro**</u> é o homem que vende jornais e revistas num quiosque; o <u>jornal**ista**</u> é quem escreve os artigos.
> Os <u>estud**antes**</u> vão ser recebidos pelo <u>diret**or**</u> da escola.

☐ o sentido de **qualidade** ou **estado** é dado pelos sufixos nominais.
-al, -ância, -ência, -dade, -dão, -ez, -eza, -ia, -oso, -ura, -vel.
> Não houve nenhuma vítima <u>mort**al**</u>, devido à <u>rapid**ez**</u> com que os bombeiros chegaram ao local de incêndio.
> A <u>toler**ância**</u> e a <u>prud**ência**</u> são qualidades que ele não tem: é muito impaciente e precipitado.
> <u>Clar**idade**</u> e <u>escur**idão**</u> são, em linguagem poética, sinónimos de <u>aleg**ria**</u> e <u>trist**eza**</u>.
> Dá gosto ver a <u>tern**ura**</u> com que a avó trata os netos. Eles também são muito <u>amá**veis**</u> e <u>carinh**osos**</u> com ela.

☐ o sentido de **nacionalidade** ou **origem** é dado pelos sufixos nominais **-ano, -ão, -eiro, -ense, -ês, -ol**.
> O Eusébio é <u>afric**ano**</u>, o Fritz é <u>alem**ão**</u>, o Roberto é <u>brasil**eiro**</u>, o José é <u>timor**ense**</u>, o Ronaldo é <u>portugu**ês**</u> e o Juan é <u>espanh**ol**</u>.

☐ o sentido de **resultado da ação** é dado pelos sufixos nominais **-ança, -ença, -ão, -ção, -gem, -mento, -ura**.
> Estou a ler um artigo sobre as <u>semelh**anças**</u> e <u>difer**enças**</u> entre os povos.
> Em minha <u>opini**ão**</u>, o gosto pela <u>leit**ura**</u> tem a ver com a <u>educa**ção**</u> que recebemos.
> Apesar da <u>trava**gem**</u> brusca, não conseguiu evitar o <u>atropela**mento**</u>.

☐ o sentido de **estabelecimento de venda** é dado pelo sufixo nominal **-aria**.
> Vou à <u>frut**aria**</u> comprar laranjas e peras.

☐ o sentido de **pequenez**, **diminuição** é dado pelos sufixos nominais **-inho, -ino, -ito, -zinho**. (a)
> O <u>Manel**ito**</u> tem uma <u>letr**inha**</u> tão <u>pequen**ina**</u> que mal se consegue ler.

☐ o sentido de **grandeza**, **aumento** é dado pelo sufixo nominal **-ão**. (b)
> Ele vive sozinho naquele imenso <u>casar**ão**</u>, que herdou do avô.

☞ Os sufixos diminutivos (a) e aumentativos (b) podem expressar juízos de valor; nesse caso designam-se por sufixos avaliativos.
Aquela <u>mulher**zinha**</u> é insuportável! (expressa desprezo)
Gosto muito da minha <u>cas**inha**</u>. (expressa afeto)
O anel é lindo, mas custa um <u>dinheir**ão**</u>. (expressa exagero)

91

40.1. Com os **prefixos** a seguir indicados, forme palavras de modo a exprimir a ideia contrária da palavra dada.

des-	in-	im-	ir-	i-

1. Isso não passou de um lamentável _____. **previsto**
2. Tens o quarto numa total _____. **ordem**
3. Com tanto calor na sala, o ar tornou-se _____. **respirável**
4. O discurso dele é completamente _____. **coerente**
5. É um aluno com uma assiduidade muito _____. **regular**
6. O que tu fizeste foi _____. **perdoável**
7. O computador tem possibilidades _____. **limitadas**
8. Os médicos chegaram à conclusão que a doença dele é _____. **reversível**
9. Ao longo da sua vida, tem tido uma carreira _____. **repreensível**
10. A cobra é um animal _____. **vertebrado**

40.2. Com os seguintes **sufixos**, indique a **nacionalidade** ou **origem** correspondente às palavras dadas.

-ano	-ão	-eiro	-ense	-ês	-ol

1. Austrália _australiano_
2. Espanha _____
3. Dinamarca _____
4. Itália _____
5. Escócia _____
6. Timor _____
7. Açores _____
8. China _____
9. Alemanha _____
10. África _____
11. Brasil _____
12. Madeira _____
13. Moçambique _____
14. Japão _____
15. Cabo Verde _____

40.3. Com os seguintes **sufixos**, forme **nomes** a partir da palavra dada.

-ança / -ença

1. lembrar _____
2. doente _____
3. perseverante _____
4. diferente _____
5. parecido _____

-ância / -ência

16. elegante _____
17. distante _____
18. decente _____
19. violento _____
20. experiente _____

-ura

31. terno _____
32. culto _____
33. ferver _____
34. cobrir _____
35. queimar _____

-ção

6. mal _____
7. orientar _____
8. distrair _____
9. eleger _____
10. aflito _____

-dade / -dão

21. ágil _____
22. apto _____
23. hábil _____
24. lento _____
25. sóbrio _____

-aria

36. pão _____
37. peixe _____
38. fruta _____
39. sapatos _____
40. perfume _____

-gem

11. homenagear _____
12. secar _____
13. lavar _____
14. dobrar _____
15. filmar _____

-ia

26. teimoso _____
27. irónico _____
28. cobarde _____
29. valente _____
30. alegre _____

-inho / -ita / -zinho

41. minuto _____
42. jardim _____
43. pássaro _____
44. saco _____
45. Ana _____

40.4. Com os seguintes **sufixos**, forme **verbos** a partir da palavra dada.

-ecer		-itar / -izar	
1. manhã		6. crédito	
2. tarde		7. real	
3. noite		8. sistema	
4. raiva		9. explícito	
5. doença		10. moderno	

40.5. A partir da palavra dada, forme **adjetivos** com os seguintes sufixos.

-al		-vel	
1. exceção		6. louvar	
2. mês		7. dispor	
3. semana		8. alterar	
4 comércio		9. favor	
5. espírito		10. saúde	

40.6. A partir dos **sufixos** dados, preencha os espaços com a **profissão / ocupação** correta.

-eira / -eiro   -ista   -or / -ora

1. Conduz um camião   *camionista*
2. Conserta sapatos
3. Coleciona selos
4. Dirige uma universidade
5. Fabrica loiça de barro
6. Trabalha no campo
7. Apaga os fogos
8. Escreve romances
9. Vende flores
10. Trabalha em madeira

40.7. A partir da expressão dada, forme o **advérbio** com o **sufixo** **–mente** .

1. **Na realidade**, preciso de mais uns dias para acabar o trabalho.   *Realmente*
2. A programação dos canais de televisão é alterada **com frequência**.
3. Estou a falar-lhe **com sinceridade**.
4. Oiçam **com atenção** o que eu vou dizer.
5. Aconteceu tudo tão **de repente** que não tivemos tempo de tomar providências.
6. Não me digas que vieste **de propósito** do Porto a Lisboa só para me visitar!
7. Vivem **sem preocupações**: não têm filhos e ambos ganham bem.
8. Costumavam encontrar-se **em segredo** na casa de campo.
9. A tomada de posse vai ser transmitida **em simultâneo** em todos os canais.
10. **Com efeito**, os resultados das eleições não foram muito animadores.
11. Sempre tratou das crianças **com muito carinho**.
12. Consegue **com facilidade** tudo o que quer.

◇ Chamam-se **compostas** as palavras que se formam a partir de outras palavras.
Estas novas palavras adquirem um ***novo significado***, que pode nada ter em comum com as palavras que lhes deram origem.

> Ex.: amor-perfeito (nome de uma flor)

◇ São dois os processos de formação das palavras compostas.

☐ A partir de duas palavras, que podem estar ligadas por uma preposição, mantendo cada uma o seu acento tónico. Estas palavras têm diferentes categorias gramaticais: nomes, adjetivos, verbos, numerais, advérbios, etc.
Em regra, quando a nova palavra é constituída por dois elementos, estes estão unidos por um hífen; quando ligadas por uma preposição, não têm hífen. (algumas exceções: cor-de-rosa; água-de-colónia; pé-de-meia)

> Ela está a aprender a linguagem gestual, porque vai trabalhar com **surdos-mudos**.
> Ele é **guarda-costas** de um **secretário de estado**.
> O bolo de que mais gosto é o **mil-folhas**.
> O senhor será sempre **bem-vindo** à nossa casa.
> Perdi o meu **chapéu de chuva**; já é o segundo este inverno.
> Gosto mais da blusa **cor-de-rosa** do que da **cor de laranja**.

> ☞ No caso de espécies botânicas ou zoológicas, os elementos que constituem a nova palavra estão <u>sempre</u> unidos por um hífen.

> Encontrei um **ouriço-do-mar** junto às rochas.
> Os **brincos-de-princesa** sempre foram as minhas flores preferidas.

☐ A partir de duas ou mais palavras que se unem intimamente, ficando com um só acento tónico (o da última palavra).

> Na minha casa só uso óleo de **girassol** para cozinhar.
> > (gira sol → girassol)

> É uma criança insuportável: faz birras e dá **pontapés** em tudo.
> > (ponta do pé → pontapé)

> O rum é **aguardente** que se obtém da cana-de-açúcar.
> > (água ardente → aguardente)

> O flamingo é uma ave **pernalta** de grande beleza, pouco comum em Portugal.
> > (perna alta → pernalta)

> A aldeia situa-se num **planalto** em plena Serra da Estrela.
> > (plano alto → planalto)

Unidade 41

41.1. Cada palavra da caixa **A** combina com uma da caixa **B**. Forme, deste modo, **palavras compostas**, usando, quando necessário, hífen e/ou preposição. Complete as frases com a palavra adequada.

A		
água	estrela	porta
azul	~~guarda~~	saca
belas	luso	surdo
cabeça	novo	trinca
castanho	obra	troca
chapéu	pé	fim

B		
rico	voz	colónia
mar	tintas	rolhas
~~fato~~	escuro	semana
prima	sol	cabra
mudo	artes	casal
claro	brasileiro	espinhas

1. Tem tanta roupa que já nada lhe cabe no *guarda-fato* _____.
2. O Rui está cada vez mais alto. O pior é que continua muito magro. Parece um _____.
3. Não se esqueçam de levar os _____ para a praia. A exposição ao sol é muito perigosa.
4. Sou assistente social e trabalho com crianças _____.
5. Tem o cabelo _____ e uns lindos olhos _____, quase transparentes.
6. Enquanto estivemos na praia, as crianças apanharam duas _____ e montes de conchas.
7. Trouxeram as bebidas, mas ninguém se lembrou de trazer um _____ para abrir as garrafas.
8. Pela maneira como se comportam vê-se logo que são _____; gastam dinheiro ao desbarato e gostam de mostrar tudo o que têm.
9. Arrombaram a porta com um _____ e levaram tudo o que havia de valor.
10. O meu namorado ofereceu-me uma _____ muito fresca, com um cheiro muito agradável a limão.
11. Portugueses e brasileiros foram apurados. Esta final _____ vai suscitar muita expectativa.
12. "Os Lusíadas" de Luís de Camões são, sem dúvida, a sua _____.
13. Não podes dar crédito a tudo o que ele diz: é um _____.
14. Aos olhos da lei é normalmente o homem, o marido, o _____.
15. O ministro fez-se representar por um _____ que transmitiu a mensagem aos grevistas.
16. No campo das _____ foi muito completo. No entanto, o artista destacou-se mais na pintura.
17. Nunca mais é sábado. Estou desejosa que chegue o _____; ando tão cansada.

41.2. Com os seguintes conjuntos de palavras, forme **uma só palavra**. Em seguida complete as frases com a **palavra adequada**.

filho de algo	_____	monte santo	_____
passa tempo	_____	roda pé	_____
vai e vem	_____	vinho acre	_____
para quedas	_____	bem feitor	_____

1. Os jornais noticiaram mais uma viagem com êxito do _____ espacial norte-americano.
2. O meu irmão participou no _____ promovido por um dos patrocinadores do *Rock in Rio* Lisboa e ganhou dois bilhetes para o último dia.
3. Azeite e _____ são temperos muito usados na cozinha portuguesa.
4. Chama-se _____ a quem pratica o bem, se preocupa com os outros e lhes presta ajuda.
5. _____ é considerado o pulmão da cidade de Lisboa.
6. A casa ficou lindíssima. Tanto os tetos como os _____ são em madeira, o que contrasta com o branco das paredes.
7. O sentido mais popular de _____ é precisamente o de um indivíduo que vive à custa dos rendimentos (não gosta de trabalhar) e anda sempre bem vestido.
8. Ele lançou-se de _____ a 1500 metros de altitude, tendo aterrado em segurança junto à praia.

◇ **Acentuação das palavras esdrúxulas**
Todas as palavras esdrúxulas são acentuadas graficamente:

☐ com acento agudo, se a vogal da sílaba tónica for aberta:
> último; rápido; relatório; exército; íntimo;

☐ com acento circunflexo, se a vogal da sílaba tónica não for aberta:
> lâmpada; pêssego; estômago; providência; elegância.

◇ **Acentuação das palavras agudas**
Determinadas palavras agudas são acentuadas graficamente:

☐ com acento agudo:
○ palavras terminadas nas vogais abertas **-a**, **-e**, **-o** e nos ditongos abertos **-ei**, **-oi**, **-eu**, seguidos ou não de **-s**:
> pá; dás; jacaré; avó;
> anéis; lençóis; chapéu.

○ palavras com duas ou mais sílabas terminadas em **-em** ou **-ens**:
> também; ninguém; parabéns; convém.

> ☞ Os monossílabos terminados em **-em** ou **-ens** não se acentuam:
> bem; cem; tens; vens.

○ palavras terminadas nas vogais tónicas **-i** e **-u**, seguidas ou não de **-s**, quando precedidas de vogal com a qual não formam ditongo:
> aí; saí; país; baú.

> ☞ Não são, pois, acentuados, o **-i** ou o **-u** tónico, quando seguido de uma consoante que não seja **-s**:
> raiz; cair; Raul.

☐ com acento circunflexo:
○ palavras terminadas nas vogais não abertas **-e** e **-o**, seguidas ou não de **-s**:
> lê; três; avô; pôs.

○ as formas verbais da 3.ª pessoa do plural terminadas em **-em**, para as distinguir das do singular (igualmente terminadas em **-em**):
> vêm (cf. vem); detêm (cf. detém).

○ a forma verbal **pôr**, para se distinguir da preposição **por**.

> ☞ Os derivados deste verbo não são acentuados:
> dispor; compor; supor.

◇ **Acentuação das palavras graves**

Uma vez que a grande maioria das palavras portuguesas são graves, a sua acentuação só se faz excecionalmente, para evitar eventuais erros de leitura. Deste modo, deverá ser colocado na vogal tónica o acento agudo, se esta for aberta, ou circunflexo, se esta não for aberta, nos seguintes casos:

☐ nas formas terminadas em **-l**, **-n**, **-r** ou **-x**:
> fácil; pólen; carácter; tórax.

☐ nas palavras terminadas em **-i**, **-u**, **vogal nasal** ou **ditongo nasal**, seguidos ou não de **-s**:
> lápis; Vénus; álbuns; órfã; bênção; órgãos.

☐ nas palavras cuja vogal tónica oral é **-i** ou **-u**, precedida de vogal com que não forma ditongo:
> baía; saída; saúde; viúvo.

> ☞ Não são, pois, acentuadas as palavras cuja vogal tónica é nasal (Coimbra; triunfo) ou seguida de som nasal *nh*: (rainha).

☐ nas formas verbais do mesmo verbo que podem confundir-se com outras:
> pôde (p.p.s.) cf. pode (presente do indicativo);
> falámos (p.p.s.) cf. falamos (presente do indicativo);
> dêmos (presente do conjuntivo) cf. demos (p.p.s.).

☐ no nome *fôrma* (molde; utensílio para fazer bolos), para se distinguir dos seus homógrafos:

> forma ⟨
>   nome – figura geométrica; feitio; modo; modelo.
>   verbo – 3.ª pessoa do singular do presente do indicativo do verbo *formar*.

97

42.1. Coloque os **acentos** respetivos nas palavras que devem ser acentuadas graficamente.

1. japones	perfil	pontape	consul	rapaz
2. homem	moinho	refem	voces	falavamos
3. anel	sotao	oasis	caju	musica
4. raiz	dificil	ceu	agua	heroi
5. juri	veem	açucar	saida	portuguesa
6. ruido	apoio	paraiso	hotel	nuvem
7. armario	papeis	baus	virus	jiboia
8. moveis	camara	climax	compor	abriamos
9. miudo	piano	dariamos	gas	abdomen
10. util	atras	limao	paises	lessemos

42.2. Em cada par de palavras, uma é acentuada graficamente. Identifique qual e coloque o **acento correto**.

1. — Cuidado, tia, não **caia**!
   — E **caia** mesmo, se não me tivesses segurado!

2. A Rita hoje já **pode** sair. Ontem não **pode**, porque teve de estudar.

3. O Paulo ainda não **tem** bilhete para o futebol, mas os amigos já **tem**.

4. Comprei esta **forma**, em **forma** de estrela, para fazer o bolo de anos do meu filho.

5. Normalmente **chegamos** sempre a tempo, mas ontem **chegamos** atrasados.

6. — A que horas fecha a **secretaria** da escola?
   — Não sei bem. Pergunta à D. Ana, a **secretaria** do diretor.

7. Eu **sai** de casa aos 18 anos, mas o meu irmão diz que não **sai** antes dos 30.

8. Ele nasceu em Portugal, mas considera a Suíça o seu **pais**, para onde foi com os **pais** há mais de 20 anos.

9. Vou **aquela** loja comprar **aquela** camisola que está na montra.

10. Tudo **funcionaria** melhor, se admitissem outra **funcionaria** para esta secção.

11. **Por** mais que me esforce, não consigo **por** o trabalho em dia.

12. **As** aulas acabam **as** cinco da tarde.

13. Não me **interprete** mal, mas o **interprete** que me indicou não preenchia os requisitos.

14. Sofia, amanhã por **estas** horas já **estas** de férias.

15 **De**-me um copo **de** água, se faz favor.

42.3. Leia as frases com atenção e coloque o acento gráfico correto nas palavras que o exigem.

1. Eu nunca ponho açucar no cha, nem no cafe; so no leite.

2. Fui ao medico, porque ha dias que ando cheio de dores de estomago.

3. Quando compramos a maquina fotografica, ofereceram-nos um album.

4. As vendas de telemoveis no nosso pais tem aumentado bastante nos ultimos anos.

5. A industria textil portuguesa e reconhecida internacionalmente.

6. Em anos de muita chuva, as consequencias das cheias no sector socioeconomico são sempre dra-maticas.

7. Ve ai no mapa quantos quilometros faltam para a fronteira.

8. Com este transito, se fossemos a pe, chegariamos mais depressa.

9. Voces leem as legendas a esta distancia?

10. O vocabulario especifico da area de direito não e nada facil.

11. Gostariamos de provar o bolo de amendoa, se fosse possivel.

12. O juiz chamou o advogado do reu a parte e ninguem sabe o que lhe tera dito.

13. Recebi uma carta dos meus avos e felizmente estão os dois bem de saude.

14. Sem duvida que contribuiste muito para o exito do espetaculo.

15. Ela pos-se a falar portugues em apenas tres meses.

42.4. Leia o texto e coloque o acento gráfico correto nas palavras que o exigem.

O Luis recebeu uma tenda pelo aniversario. Como faz anos em janeiro, ainda não pode estrea-la. Vai aproveitar as ferias da Pascoa, que este ano calham no fim do mes de abril, para ir acampar para a costa alentejana com o Angelo e o amigo dele finlandes, estudante universitario de Eramus que so esta em Portugal ha tres meses e pouco conhece do nosso pais.
Partiram de Lisboa no sabado, as nove da manhã com um lindo dia de sol, mas assim que la chegaram ja o ceu estava carregado de nuvens escuras e viam-se relampagos ao longe. Bem diz o proverbio: «abril, aguas mil» e, como era previsivel, choveu toda a noite.

uso dos sinais de pontuação
(ver Apêndice 2)

• o **ponto final** / . / • a **vírgula** / , / • o **ponto e vírgula** / ; / • os **dois pontos** / : /	• o **ponto de interrogação** / ? / • o **ponto de exclamação** / ! / • as **reticências** / … /	• as **aspas baixas** / « » / ou **altas** / " " / • os **parêntesis** / ( ) / • o **travessão** / – /
marcam as **pausas** ao longo ou no fim das frases, que exprimem um conjunto significativo.	indicam, para além das pausas, a **entoação** com que a frase foi dita ou deve ser lida.	assinalam outros factos.

◇ **ponto final**: coloca-se no fim de uma frase declarativa, para indicar que o sentido está completo.
> D. Afonso Henriques foi o primeiro rei de Portugal.

◇ **vírgula**: delimita alguns elementos constituintes da frase; separa determinadas orações.
> A Sofia, irmã do Diogo, não esteve na reunião, porque não foi avisada.

◇ **ponto e vírgula**: separa orações coordenadas, quando são extensas ou orações subordinadas que dependem do mesmo verbo.
> O médico dá consultas, no hospital, às 2.ª[s] feiras das 9h00 às 12h30; no consultório, às 2.ª[s] e 4.ª[s] feiras das 18h00 às 20h00; na clínica, às 6.ª[s] feiras das 14h30 às 18h00.

◇ **dois pontos**: empregam-se antes de uma citação, fala, enumeração ou explicação.
> As estações do ano são quatro: primavera, verão, outono e inverno.

◇ **ponto de interrogação**: coloca-se no fim de uma frase interrogativa direta.
> Como é que se chama?

◇ **ponto de exclamação**: coloca-se no fim de uma frase exclamativa, depois das interjeições e das formas verbais de imperativo.
> Que lindo dia!
> Bravo! Gostei muito da sua intervenção.

◇ **reticências**: indicam que o sentido da frase está incompleto.
> Foi a ambição que o perdeu! Quem tudo quer…

◇ **aspas baixas** ou **altas**: empregam-se no princípio e no fim de uma transcrição ou citação, para citar o título de uma obra ou artigo, para realçar uma palavra ou expressão.
> Li um artigo muito interessante sobre "Os Lusíadas".

◇ **parêntesis**: empregam-se para separar da frase uma palavra ou oração intercalada.
> Estava no Algarve (que é onde costumo passar férias) quando soube do acidente pela televisão.

◇ **travessão**: tal como os parêntesis, emprega-se para isolar no texto palavras ou frases e ainda para introduzir o discurso direto.
> O professor disse:
> — Façam o exercício da página 20.

43.1. Leia com atenção os três textos e faça a sua **pontuação**, recorrendo aos sinais listados antes de cada um.

1.   `,`   `;`   `:`   `.`   `" "`

O curso para fins específicos Conceitos de Gestão visa ajudar os participantes a desenvolverem as suas capacidades em língua portuguesa de acordo com as suas necessidades profissionais Os objetivos principais são revisão e consolidação das estruturas linguísticas enriquecimento quantitativo e seletivo do vocabulário na área específica em questão treino intensivo de capacidade criativa de expressão

2.   `.`   `?`   `!`   `–`   `...`

Então Luís sempre vens connosco   perguntou o João
Bem que eu gostaria mas   respondeu o Luís
Ah É verdade Tens exame amanhã   disse o João   Que pena

3.   `.`   `« »`   `( )`   `,`

A arte do azulejo palavra derivada do árabe *al-zu-leycha* que significa pequena pedra é uma herança da cultura islâmica que após a Reconquista Cristã foi deixada aos povos da Península Ibérica

43.2. Leia com atenção o seguinte texto, colocando **os sinais de pontuação** adequados.

Através do testamento Calouste Gulbenkian criou nos termos da lei portuguesa uma fundação denominada Fundação Calouste Gulbenkian cujas bases essenciais são as seguintes

a) é uma Fundação portuguesa perpétua com sede em Lisboa podendo ter em qualquer lugar do mundo civilizado as dependências que forem julgadas necessárias
b) os seus fins são caritativos artísticos educativos e científicos
c) a sua ação exercer-se-á não só em Portugal mas também em qualquer outro país onde os seus dirigentes o julguem conveniente

Deste modo a Fundação opera desde o princípio da sua existência no Médio Oriente a sua principal fonte de receitas provinha do Iraque junto às comunidades arménias espalhadas pelo mundo Calouste Gulbenkian era arménio e no Reino Unido a sede dos negócios de Gulbenkian era em Londres e este naturalizara-se britânico Mais tarde a sua ação estender-se-ia a França país onde vivera largos anos antes de fixar residência em Lisboa e onde reunira grande parte da sua coleção de arte e a todos os países de língua oficial portuguesa com particular incidência no Brasil e novos estados africanos

Apêndice 1 — Acentuação

◇ Na língua portuguesa, **a sílaba tónica**, isto é, a sílaba que se pronuncia com mais intensidade, **situa-se sempre numa das três últimas sílabas da palavra**. Dependendo dessa posição, as palavras classificam-se em:

☐ agudas → acentuadas na última sílaba – arma**zém** (ar-ma-**zém**)
☐ graves → acentuadas na penúltima sílaba – ca**der**no (ca-**der**-no)
☐ esdrúxulas → acentuadas na antepenúltima sílaba – re**pú**blica (re-**pú**-bli-ca)

◇ Na sua maioria, as palavras portuguesas:

☐ são graves, isto é, têm o acento tónico na penúltima sílaba;
☐ não são acentuadas graficamente.

◇ Deste modo, o acento gráfico só se usa nos casos em que a sua omissão poderá levar a uma incorreta pronúncia da palavra.

Os acentos gráficos são três:

grave (`), **agudo** (´) e **circunflexo** (^)

☐ Emprego do acento grave.

○ O **acento grave** usa-se apenas para **marcar a sílaba não tónica** aberta, que resulta de uma contração, geralmente de palavra com igual som vocálico.

Ex.: preposição *a* + artigo definido *a* = **à**
     preposição *a* + demonstrativo *aquele* = **àquele**

☐ Emprego dos acentos agudo e circunflexo.

○ Os **acentos agudo** e **circunflexo** usam-se, em determinadas circunstâncias, **para marcar a sílaba tónica**, nomeadamente:

• agudo - quando a sílaba é aberta
• circunflexo - quando a sílaba não é aberta

Ex.: avó
     avô

Apêndice 2 — Pontuação

◇ Os sinais de pontuação são fundamentais para uma correta interpretação da mensagem na linguagem escrita, representando as pausas, entoação, inflexão de voz do código oral. A sua omissão ou má colocação pode deturpar o sentido da frase ou levar mesmo à sua total incompreensão.

1. ponto final `.`

◇ Marca uma pausa demorada. Coloca-se no fim de uma frase declarativa, para indicar que o seu sentido está completo.

>   Ex.: Portugal é o país mais ocidental da Europa**.**

Obs.: Pode ainda indicar supressão de letras e, neste caso, chama-se **ponto de abreviatura**.

>   Ex.: Exmo**.** Sr**.** Dr**.** = **Ex**celentíssi**mo** **S**enho**r** **D**outo**r**

2. vírgula `,`

◇ Marca uma pausa ligeira no interior das frases, delimitando alguns elementos que as constituem ou separando determinadas orações.
Recorre-se à vírgula para separar:

☐ O vocativo.
>   Ex.: — **Ó Miguel,** anda cá.
>   — Está calado**, Pedro**.

☐ O aposto.
>   Ex.: A Dra. Madalena, **professora de Português,** está a organizar a visita de estudo.

☐ Os complementos circunstanciais.
>   Ex.: Fui convidado, **há dias,** para a inauguração de uma exposição de pintura, **na galeria de uma amiga minha, em Lisboa**.

☐ Determinadas palavras e expressões explicativas ou conclusivas – *efetivamente, portanto, ou seja, isto é, como tal, deste modo, por conseguinte*, etc.
>   Ex.: Segundo um relatório da OIT, um terço da força mundial de trabalho**, ou seja,** mil milhões de pessoas, está desempregada ou subaproveitada.

☐ Os advérbios *sim* e *não*, quando podem ser isolados do resto da frase.
>   Ex.: — Começa**, sim**. A reunião começa às 9h00.
>   — **Não,** hoje ainda não vi o Pedro.

☐ As adversativas *porém, contudo, no entanto, apesar disso,* etc., no início ou no interior da frase.
>   Ex.: Todos o consideram culpado. Eu, **porém,** acredito na sua inocência.
>   **No entanto,** teremos de aguardar o resultado do julgamento.

☐ As orações coordenadas adversativas ligadas por *mas*.
> Ex.: Ele disse que vinha à reunião, **mas** não veio.

☐ Palavras que desempenhem a mesma função na frase ou orações coordenadas, sempre que a conjugação *e, nem, ou*, estiver omitida.
> Ex.: Homens, mulheres, crianças pulavam, gritavam, batiam palmas de tanta alegria.

☐ As orações gerundivas e participiais ou expressões equivalentes.
> Ex.: **Feitas as contas,** verificou-se que o saldo excedera as expectativas.
> Saiu a correr, **batendo com a porta**.

☐ A oração intercalada.
> Ex.: A melhor defesa, **sempre ouvi dizer,** é o ataque.

☐ A oração relativa explicativa.
> Ex.: A Sofia, **que foi a melhor aluna do curso,** conseguiu um estágio na Suíça.

☐ A oração subordinada, intercalada ou não.
> Ex.: O João, **quando chegou a casa,** foi logo telefonar ao amigo.
> Soube então que ele tinha faltado às aulas, **porque estava doente**.

3. ponto e vírgula ;

◇ Marca uma pausa mais longa do que a vírgula, mas mais curta do que o ponto final. Recorre-se ao ponto e vírgula para separar:

☐ Orações coordenadas, quando são extensas ou contêm elementos já separados por vírgulas.
> Ex.: O professor entrou na sala de aula e fechou a porta; pediu aos alunos, que já estavam todos sentados nos seus lugares, que abrissem os livros na página 23; leu o texto e explicou o vocabulário novo.

☐ Orações subordinadas que dependem da mesma subordinante.
> Ex.: É bom saber que temos um amigo; que podemos contar com alguém nos momentos difíceis; que não estamos sós.

4. dois pontos :

◇ Marcam uma pausa relativamente demorada.
Recorre-se aos dois pontos para:

☐ Introduzir as falas do discurso direto.
> Ex.: O professor disse:
> — Hoje vamos fazer exercícios de revisão.

☐ Indicar uma citação.
> Ex.: No cartaz estava escrito: "Vende-se ou aluga-se este apartamento"

Apêndice 2 — Pontuação

☐ Apresentar uma enumeração ou explicação.

Ex.: A Península Ibérica é constituída por dois países: Portugal e Espanha.

À primeira vista nem o reconheci: tinha cortado a barba, o que o fazia parecer mais novo.

5. ponto de interrogação ?

◇ Marca uma pausa. Coloca-se no fim de uma frase interrogativa direta, para reproduzir a entoação característica de uma pergunta.

Ex.: A que horas é que acabas hoje as aulas?

6. ponto de exclamação !

◇ Marca uma pausa. Coloca-se no fim de uma frase exclamativa, depois das interjeições e no fim de certas frases imperativas, para exprimir, através da entoação, as mais diferentes emoções (admiração, espanto, entusiasmo, ira, medo, dúvida, etc.).

Ex.: — Oh! Está a nevar! Que bonito!

— Irra! Está quieto!

7. reticências •••

◇ Marcam uma pausa. Colocam-se no fim de uma frase para, através da entoação, indicar que o seu sentido não está completo (podendo estar subentendido) ou traduzir hesitação, dúvida, ironia (ou outros sentimentos).

Ex.: Devias ouvir os conselhos da tua mãe. Olha que quem te avisa...

A cara dele não me é estranha, mas... não sei de onde o conheço.

8. aspas baixas « » ou aspas altas " "

◇ Colocam-se no princípio e no fim de uma fala, transcrição ou citação; do título de uma obra, publicação, artigo, filme, etc.; de uma palavra ou expressão para a destacar.

Ex.: "E tudo o vento levou" é um clássico do cinema americano.

Muitas histórias infantis começam por "Era uma vez..."

«Quem vem lá?»

«Sou eu, não te assustes.»

Apêndice 2 — Pontuação

9. | parêntesis | **( )**

◇ Empregam-se para intercalar na frase uma explicação, uma reflexão ou um comentário à margem da ideia principal.

> Ex.: O centro histórico do Porto (fico sempre maravilhado com a beleza da zona ribeiri-
> nha!) é, desde 1996, património mundial.
> Essa foi uma diretiva da UE (União Europeia) e, como tal, terá de ser acatada por todos
> os países-membros.

10. | travessão | **—**

◇ Emprega-se para introduzir as falas, ou mudanças de falas, no discurso direto; para separar o discurso indireto do discurso direto; para isolar uma palavra, expressão ou oração intercaladas numa
frase.

> Ex.: — Quem vem lá? — perguntou a Ana, com medo.
> — Sou eu — respondeu o João — não te assustes!

Apêndice 3-A — Formação de palavras – derivação

◇ Chamam-se **derivadas** as palavras que se formam acrescentando pequenos elementos antes ou depois da palavra primitiva (palavra original, isto é, que não se forma a partir de outra). Se o elemento se coloca antes da palavra primitiva chama-se **prefixo**; se se coloca depois chama-se **sufixo**. Há palavras que podem ser formadas simultaneamente por prefixos e sufixos.

◇ Normalmente, os prefixos têm uma significação exata, concreta, enquanto que os sufixos apresentam a ideia de um modo mais vago.

◇ Os **sufixos** podem ser **verbais**, ou seja, com eles formam-se verbos; **adverbiais**, ou seja, com eles formam-se advérbios; **nominais**, ou seja, com eles formam-se nomes e adjetivos.

1. **Prefixos** mais usuais e seus significados.

prefixos	significado	exemplos
a-; an-	privação; negação	**a**moral; **an**alfabeto
co-; com-; con-	união; companhia	**co**laborar; **com**por; **con**correr
de-; des-	oposição; ação contrária	**de**compor; **des**contente; **des**fazer
e-; em-; en- i-; im-; in-	movimento para dentro	**e**malar; **em**bolsar; **en**caixar; **i**migrar; **im**portar; **in**cluir
e-; em-; en-	mudança de estado	**e**magrecer; **em**palidecer; **en**gordar
e-; ex-	movimento para fora	**e**migrar; **ex**portar
i-; im-; in-; ir-	negação	**i**legal; **im**possível; **in**feliz; **ir**real
per-	movimento através de	**per**correr; **per**furar
pre-	anterioridade	**pre**ver; **pre**cedente
re-	repetição	**re**ler; **re**lembrar

2. **Sufixos** mais usuais e seus significados.

2.1. Sufixos verbais.

sufixos	significado	exemplos
-ar; -er, -ir	indicação da ação	fal**ar**; com**er**; sa**ir**
-ecer	começo da ação passagem para um estado	anoit**ecer** envelh**ecer**
-itar; -izar	realização da ação	civil**izar**; facil**itar**

2.2. Sufixo adverbial.

sufixo	significado	exemplos
-mente	modo; maneira	facil**mente**; rapida**mente**

Apêndice 3-A — Formação de palavras – derivação

2.3. Sufixos nominais.

sufixos	significado	exemplos
-ada	ação; resultado da ação ajuntamento; abundância	colher**ada**; dent**ada** papel**ada**; passar**ada**
-al	qualidade; estado ajuntamento; lugar	mort**al**; leg**al** pinh**al**; laranj**al**
-ança; -ença	ação; resultado da ação	lembr**ança**; difer**ença**
-ância; -ência	qualidade; estado	toler**ância**; prud**ência**
-ano (-ana)	nacionalidade; origem	americ**ano**; itali**ana**
-ão	aumentativo; ação; resultado da ação nacionalidade; origem	casar**ão**; port**ão** conclus**ão**; rasg**ão** alem**ão**; beir**ão**
-ar	relação; referência	escol**ar**; famili**ar**
-aria	estabelecimento de venda	livr**aria**; pastel**aria**
-ção	ação; resultado da ação	cria**ção**; forma**ção**
-dade; -dão	qualidade; estado	felici**dade**; escuri**dão**
-eira; -eiro	recipiente profissão nacionalidade; origem plantas	cafet**eira**; cinz**eiro** livr**eiro** brasil**eiro** ros**eira**; limo**eiro**
-ense	nacionalidade; origem	timor**ense**; madeir**ense**
-ês (-esa)	nacionalidade; origem	portugu**ês**; franc**esa**
-ez; -eza	qualidade; estado	pequen**ez**; bel**eza**
-gem	ação; resultado da ação	lava**gem**; reporta**gem**
-ia	qualidade; estado	alegr**ia**; valent**ia**
-inho (-inha); -ino (-ina); -ito (-ita); -isco	diminutivos	rapaz**inho**; pequen**ina**; mosqu**ito**; chuv**isco**
-ismo	sistema resultado da ação; terminologia científica	ideal**ismo**; material**ismo** hero**ísmo** neolog**ismo**
-ista	profissão	jornal**ista**; dent**ista**
-mento	ação; resultado da ação	desenvolvi**mento**
-ol (-ola)	nacionalidade; origem	espanh**ol**; espanh**ola**
-or (-ora)	profissão; ocupação	diret**or**; profess**ora**
-oso (-osa)	abundância; qualidade	chuv**oso**; mentir**osa**
-ura	ação; resultado da ação qualidade; estado	pint**ura**; queimad**ura** branc**ura**; tern**ura**
-vel	qualidade; estado	amá**vel**; sensí**vel**

Obs.: Entre a palavra primitiva e o sufixo pode surgir uma **consoante de ligação** para facilitar a pronúncia.

Ex.: cafe<u>t</u>eira; cafe<u>z</u>al

Apêndice 3-B — Formação de palavras - composição

◇ Chamam-se **compostas** as palavras que se formam a partir de duas, ou mais, palavras.

◇ Há, no entanto, dois processos de formação de palavras compostas.

1. As que se formaram a partir de duas palavras, por vezes ligadas por uma preposição, embora cada uma mantenha o seu próprio acento tónico. Na maior parte dos casos, os elementos desta nova palavra estão unidos por um hífen.

> Ex.: couve-flor   :   nome   +   nome (a)
> amor-perfeito :   nome   +   adjetivo (b)
> novo-rico   :   adjetivo   +   nome (c)
> surdo-mudo :   adjetivo   +   adjetivo (d)
> segunda-feira :   numeral   +   nome (e)
> guarda-chuva :   verbo   +   nome (f)
> bem-parecido :   advérbio   +   adjetivo (g)
> chapéu de sol :   nome   +   preposição + nome (h)

Obs.: Quanto ao plural destas palavras compostas, note que nos casos (a), (b), (c), (d) e (e), os dois elementos vão para o plural; nos casos (f) e (g), só o 2.º elemento vai para o plural; no caso (h), só o 1.º elemento vai para o plural.

2. As que se formam a partir de duas ou mais palavras que se aglutinam, por forma a darem origem a uma nova palavra com um único acento tónico, o do último elemento.

> Ex.: fidalgo   (filho de algo)
> aguardente   (água ardente)
> girassol   (gira sol)

Obs.: Quanto ao plural destas palavras compostas, e uma vez que funcionam como uma única palavra, segue-se a regra geral. (ver Apêndice 3, *Gramática Ativa 1*)

Apêndice 4-A — Verbos regulares

1.ª conjugação (-ar)			

DEITAR			
conjugação ativa – formas simples		**conjugação ativa – formas compostas**	
INDICATIVO	CONJUNTIVO	INDICATIVO	CONJUNTIVO
presente	**presente**		**pretérito perfeito**
deito	deite		tenha deitado
deitas	deites		tenhas deitado
deita	deite		tenha deitado
deitamos	deitemos		tenhamos deitado
deitam	deitem		tenham deitado
pretérito imperfeito	**pretérito imperfeito**		**pretérito mais--que-perfeito**
deitava	deitasse		tivesse deitado
deitavas	deitasses		tivesses deitado
deitava	deitasse		tivesse deitado
deitávamos	deitássemos		tivéssemos deitado
deitavam	deitassem		tivessem deitado
pretérito perfeito	**futuro**	**pretérito perfeito**	**futuro perfeito**
deitei	deitar	tenho deitado	tiver deitado
deitaste	deitares	tens deitado	tiveres deitado
deitou	deitar	tem deitado	tiver deitado
deitámos	deitarmos	temos deitado	tivermos deitado
deitaram	deitarem	têm deitado	tiverem deitado
pretérito mais--que-perfeito	**CONDICIONAL**	**pretérito mais--que-perfeito**	**CONDICIONAL** **perfeito**
deitara	deitaria	tinha deitado	teria deitado
deitaras	deitarias	tinhas deitado	terias deitado
deitara	deitaria	tinha deitado	teria deitado
deitáramos	deitaríamos	tínhamos deitado	teríamos deitado
deitaram	deitariam	tinham deitado	teriam deitado
futuro	**IMPERATIVO**	**futuro perfeito**	
deitarei		terei deitado	
deitarás	deita	terás deitado	
deitará	deite	terá deitado	
deitaremos		teremos deitado	
deitarão	deitem	terão deitado	
INFINITIVO	OUTRAS FORMAS	INFINITIVO	OUTRAS FORMAS
pessoal	**gerúndio**	**pessoal**	**gerúndio**
deitar	deitando	ter deitado	tendo deitado
deitares	**particípio passado**	teres deitado	
deitar	deitado	ter deitado	
deitarmos		termos deitado	
deitarem		terem deitado	
impessoal		**impessoal**	
deitar		ter deitado	

Apêndice 4-A — Verbos regulares

conjugação passiva		conjugação reflexa		conjugação pronominal	
INDICATIVO	**CONJUNTIVO**	**INDICATIVO**	**CONJUNTIVO**	**INDICATIVO**	**CONJUNTIVO**
presente	**presente**	**presente**	**presente**	**presente**	**presente**
sou deitado	seja deitado	deito-me	me deite	deito-o	o deite
és deitado	sejas deitado	deitas-te	te deites	deita-lo	o deites
é deitado	seja deitado	deita-se	se deite	deita-o	o deite
somos deitados	sejamos deitados	deitamo-nos	nos deitemos	deitamo-lo	o deitemos
são deitados	sejam deitados	deitam-se	se deitem	deitam-no	o deitem
pretérito imperfeito	**pretérito imperfeito**	**pretérito imperfeito**	**pretérito imperfeito**	**pretérito imperfeito**	**pretérito imperfeito**
era deitado	fosse deitado	deitava-se	me deitasse	deitava-o	o deitasse
eras deitado	fosses deitado	deitavas-te	te deitasses	deitava-lo	o deitasses
era deitado	fosse deitado	deitava-se	se deitasse	deitava-o	o deitasse
éramos deitados	fôssemos deitados	deitávamo-nos	nos deitássemos	deitávamo-lo	o deitássemos
eram deitados	fossem deitados	deitavam-se	se deitassem	deitavam-no	o deitassem
pretérito perfeito	**futuro**	**pretérito perfeito**	**futuro**	**pretérito perfeito**	**futuro**
fui deitado	for deitado	deitei-me	me deitar	deitei-o	o deitar
foste deitado	fores deitado	deitaste-te	te deitares	deitaste-o	o deitares
foi deitado	for deitado	deitou-se	se deitar	deitou-o	o deitar
fomos deitados	formos deitados	deitámo-nos	nos deitarmos	deitámo-lo	o deitarmos
foram deitados	forem deitados	deitaram-se	se deitarem	deitaram-no	o deitarem
pretérito mais- -que-perfeito		**pretérito mais- -que-perfeito**		**pretérito mais- -que-perfeito**	
fora deitado		deitara-se		deitara-o	
foras deitado		deitaras-te		deitara-lo	
fora deitado		deitara-se		deitara-o	
fôramos deitados		deitáramo-nos		deitáramo-lo	
foram deitados		deitaram-se		deitaram-no	
futuro	**CONDICIONAL**	**futuro**	**CONDICIONAL**	**futuro**	**CONDICIONAL**
serei deitado	seria deitado	deitar-me-ei	deitar-me-ia	deitá-lo-ei	deitá-lo-ia
serás deitado	serias deitado	deitar-te-ias	deitar-te-ias	deitá-lo-ás	deitá-lo-ias
será deitado	seria deitado	deitar-se-ia	deitar-se-ia	deitá-lo-á	deitá-lo-ia
seremos deitados	seríamos deitados	deitar-nos-emos	deitar-nos-íamos	deitá-lo-emos	deitá-lo-íamos
serão deitados	seriam deitados	deitar-se-ão	deitar-se-iam	deitá-lo-ão	deitá-lo-iam
INFINITIVO	**IMPERATIVO**	**INFINITIVO**	**IMPERATIVO**	**INFINITIVO**	**IMPERATIVO**
pessoal	sê deitado	**pessoal**	deita-te	**pessoal**	deita-o
ser deitado	seja deitado	deitar-me	deite-se	deitá-lo	deite-o
seres deitado	sejam deitados	deitares-te	deitem-se	deitare-lo	deitem-no
ser deitado	**OUTRAS FORMAS**	deitar-se	**OUTRAS FORMAS**	deitá-lo	**OUTRAS FORMAS**
sermos deitados		deitarmo-nos		deitarmo-lo	
serem deitados	**gerúndio**	deitarem-se	**gerúndio**	deitarem-no	**gerúndio**
impessoal	sendo deitado	**impessoal**	deitando-se	**impessoal**	deitando-o
ser deitado	**particípio passado**	deitar-se		deitá-lo	
	sido deitado				

111

Apêndice 4-A — Verbos regulares

2.ª conjugação (-er)			

ESCONDER			
conjugação ativa – formas simples		**conjugação ativa – formas compostas**	
INDICATIVO	**CONJUNTIVO**	**INDICATIVO**	**CONJUNTIVO**
presente	**presente**		**pretérito perfeito**
escondo	esconda		tenha escondido
escondes	escondas		tenhas escondido
esconde	esconda		tenha escondido
escondemos	escondamos		tenhamos escondido
escondem	escondam		tenham escondido
pretérito imperfeito	**pretérito imperfeito**		**pretérito mais--que-perfeito**
escondia	escondesse		tivesse escondido
escondias	escondesses		tivesses escondido
escondia	escondesse		tivesse escondido
escondíamos	escondêssemos		tivéssemos escondido
escondiam	escondessem		tivessem escondido
pretérito perfeito	**futuro**	**pretérito perfeito**	**futuro perfeito**
escondi	esconder	tenho escondido	tiver escondido
escondeste	esconderes	tens escondido	tiveres escondido
escondeu	esconder	tem escondido	tiver escondido
escondemos	escondermos	temos escondido	tivermos escondido
esconderam	esconderem	têm escondido	tiverem escondido
pretérito mais--que-perfeito	**CONDICIONAL**	**pretérito mais--que-perfeito**	**CONDICIONAL** **perfeito**
escondera	esconderia	tinha escondido	teria escondido
esconderas	esconderias	tinhas escondido	terias escondido
escondera	esconderia	tinha escondido	teria escondido
escondêramos	esconderíamos	tínhamos escondido	teríamos escondido
esconderam	esconderiam	tinham escondido	teriam escondido
futuro	**IMPERATIVO**	**futuro perfeito**	
esconderei		terei escondido	
esconderás	esconde	terás escondido	
esconderá	esconda	terá escondido	
esconderemos		teremos escondido	
esconderão	escondam	terão escondido	
INFINITIVO	**OUTRAS FORMAS**	**INFINITIVO**	**OUTRAS FORMAS**
pessoal	**gerúndio**	**pessoal**	**gerúndio**
esconder	escondendo	ter escondido	tendo escondido
esconderes	**particípio passado**	teres escondido	
esconder	escondido	ter escondido	
escondermos		termos escondido	
esconderem		terem escondido	
impessoal		**impessoal**	
esconder		ter escondido	

Apêndice 4-A — Verbos regulares

conjugação passiva		conjugação reflexa		conjugação pronominal	
INDICATIVO	**CONJUNTIVO**	**INDICATIVO**	**CONJUNTIVO**	**INDICATIVO**	**CONJUNTIVO**
presente	**presente**	**presente**	**presente**	**presente**	**presente**
sou escondido	seja escondido	escondo-me	me esconda	escondo-o	o esconda
és escondido	sejas escondido	escondes-te	te escondas	esconde-lo	o escondas
é escondido	seja escondido	esconde-se	se esconda	esconde-o	o esconda
somos escondidos	sejamos escondidos	escondemo-nos	nos escondamos	escondemo-lo	o escondamos
são escondidos	sejam escondidos	escondem-se	se escondam	escondem-no	o escondam
pretérito imperfeito	**pretérito imperfeito**	**pretérito imperfeito**	**pretérito imperfeito**	**pretérito imperfeito**	**pretérito imperfeito**
era escondido	fosse escondido	escondia-me	me escondesse	escondia-o	o escondesse
eras escondido	fosses escondido	escondias-te	te escondesses	escondia-lo	o escondesses
era escondido	fosse escondido	escondia-se	se escondesse	escondia-o	o escondesse
éramos escondidos	fôssemos escondidos	escondíamo-nos	nos escondêssemos	escondíamo-lo	o escondêssemos
eram escondidos	fossem escondidos	escondiam-se	se escondessem	escondiam-no	o escondessem
pretérito perfeito	**futuro**	**pretérito perfeito**	**futuro**	**pretérito perfeito**	**futuro**
fui escondido	for escondido	escondi-me	me esconder	escondi-o	o esconder
foste escondido	fores escondido	escondeste-te	te esconderes	escondeste-o	o esconderes
foi escondido	for escondido	escondeu-se	se esconder	escondeu-o	o esconder
fomos escondidos	formos escondidos	escondemo-nos	nos escondermos	escondemo-lo	o escondermos
foram escondidos	forem escondidos	esconderam-se	se esconderem	esconderam-no	o esconderem
pretérito mais--que-perfeito		**pretérito mais--que-perfeito**		**pretérito mais--que-perfeito**	
fora escondido		escondera-me		escondera-o	
foras escondido		esconderas-te		escondera-lo	
fora escondido		escondera-se		escondera-o	
fôramos escondidos		esconderamo-nos		escondêramo-lo	
foram escondidos		esconderam-se		esconderam-no	
futuro	**CONDICIONAL**	**futuro**	**CONDICIONAL**	**futuro**	**CONDICIONAL**
serei escondido	seria escondido	esconder-me-ei	esconder-me-ia	escondê-lo-ei	escondê-lo-ia
serás escondido	serias escondido	esconder-te-ás	esconder-te-ias	escondê-lo-ás	escondê-lo-ias
será escondido	seria escondido	esconder-se-á	esconder-se-ia	escondê-lo-á	escondê-lo-ia
seremos escondidos	seríamos escondidos	esconder-nos-emos	esconder-nos-íamos	escondê-lo-emos	escondê-lo-íamos
serão escondidos	seriam escondidos	esconder-se-ão	esconder-se-iam	escondê-lo-ão	escondê-lo-iam
INFINITIVO	**IMPERATIVO**	**INFINITIVO**	**IMPERATIVO**	**INFINITIVO**	**IMPERATIVO**
pessoal	sê escondido	**pessoal**	esconde-te	**pessoal**	esconde-o
ser escondido	seja escondido	esconder-me	esconda-se	escondê-lo	esconda-o
seres escondido	sejam escondidos	esconderes-te	escondam-se	escondere-lo	escondam-no
ser escondido	**OUTRAS FORMAS**	esconder-se	**OUTRAS FORMAS**	escondê-lo	**OUTRAS FORMAS**
sermos escondidos		escondermo-nos		escondermo-lo	
serem escondidos	**gerúndio**	esconderem-se	**gerúndio**	esconderem-no	**gerúndio**
impessoal	sendo escondido	**impessoal**	escondendo-se	**impessoal**	escondendo-o
ser escondido	**particípio passado**	esconder-se		escondê-lo	
	sido escondido				

3.ª conjugação (-ir)			

DEMITIR			
conjugação ativa – formas simples		**conjugação ativa – formas compostas**	
INDICATIVO	CONJUNTIVO	INDICATIVO	CONJUNTIVO
presente	**presente**		**pretérito perfeito**
demito demites demite demitimos demitem	demita demitas demita demitamos demitam		tenha demitido tenhas demitido tenha demitido tenhamos demitido tenham demitido
pretérito imperfeito	**pretérito imperfeito**		**pretérito mais--que-perfeito**
demitia demitias demitia demitíamos demitiam	demitisse demitisses demitisse demitíssemos demitissem		tivesse demitido tivesses demitido tivesse demitido tivéssemos demitido tivessem demitido
pretérito perfeito	**futuro**	**pretérito perfeito**	**futuro perfeito**
demiti demitiste demitiu demitimos demitiram	demitir demitires demitir demitirmos demitirem	tenho demitido tens demitido tem demitido temos demitido têm demitido	tiver demitido tiveres demitido tiver demitido tivermos demitido tiverem demitido
pretérito mais--que-perfeito	**CONDICIONAL**	**pretérito mais--que-perfeito**	**CONDICIONAL** **perfeito**
demitira demitiras demitira demitíramos demitiram	demitiria demitirias demitiria demitiríamos demitiriam	tinha demitido tinhas demitido tinha demitido tínhamos demitido tinham demitido	teria demitido terias demitido teria demitido teríamos demitido teriam demitido
futuro	**IMPERATIVO**	**futuro perfeito**	
demitirei demitirás demitirá demitiremos demitirão	demite demita demitam	terei demitido terás demitido terá demitido teremos demitido terão demitido	
INFINITIVO	**OUTRAS FORMAS**	**INFINITIVO**	**OUTRAS FORMAS**
pessoal	**gerúndio**	**pessoal**	**gerúndio**
demitir demitires demitir demitirmos demitirem	demitindo **particípio passado** demitido	ter demitido teres demitido ter demitido termos demitido terem demitido	tendo demitido
impessoal		**impessoal**	
demitir		ter demitido	

Apêndice 4-A — Verbos regulares

conjugação passiva		conjugação reflexa		conjugação pronominal	
INDICATIVO	**CONJUNTIVO**	**INDICATIVO**	**CONJUNTIVO**	**INDICATIVO**	**CONJUNTIVO**
presente	**presente**	**presente**	**presente**	**presente**	**presente**
sou demitido	seja demitido	demito-me	me demita	demito-o	o demita
és demitido	sejas demitido	demites-te	te demitas	demite-lo	o demitas
é demitido	seja demitido	demite-se	se demita	demite-o	o demita
somos demitidos	sejamos demitidos	demitimo-nos	nos demitamos	demitimo-lo	o demitamos
são demitidos	sejam demitidos	demitem-se	se demitam	demitem-no	o demitam
pretérito imperfeito	**pretérito imperfeito**	**pretérito imperfeito**	**pretérito imperfeito**	**pretérito imperfeito**	**pretérito imperfeito**
era demitido	fosse demitido	demitia-me	me demitisse	demitia-o	o demitisse
eras demitido	fosses demitido	demitias-te	te demitisses	demitia-lo	o demitisses
era demitido	fosse demitido	demitia-se	se demitisse	demitia-o	o demitisse
éramos demitidos	fôssemos demitidos	demitíamo-nos	nos demitíssemos	demitíamo-lo	o demitíssemos
eram demitidos	fossem demitidos	demitiam-se	se demitissem	demitiam-no	o demitissem
pretérito perfeito	**futuro**	**pretérito perfeito**	**futuro**	**pretérito perfeito**	**futuro**
fui demitido	for demitido	demiti-me	me demitir	demiti-o	o demitir
foste demitido	fores demitido	demitiste-te	te demitires	demitiste-o	o demitires
foi demitido	for demitido	demitiu-se	se demitir	demitiu-o	o demitir
fomos demitidos	formos demitidos	demitimo-nos	nos demitirmos	demitimo-lo	o demitirmos
foram demitidos	forem demitidos	demitiam-se	se demitirem	demitiram-no	o demitirem
pretérito mais--que-perfeito		**pretérito mais--que-perfeito**		**pretérito mais--que-perfeito**	
fora demitido		demitira-me		demitira-o	
foras demitido		demitiras-te		demitira-lo	
fora demitido		demitira-se		demitira-o	
fôramos demitidos		demitíramo-nos		demitíramo-lo	
foram demitidos		demitiram-se		demitiram-no	
futuro	**CONDICIONAL**	**futuro**	**CONDICIONAL**	**futuro**	**CONDICIONAL**
serei demitido	seria demitido	demitir-me-ei	demitir-me-ia	demiti-lo-ei	demiti-lo-ia
serás demitido	serias demitido	demitir-te-ás	demitir-te-ias	demiti-lo-ás	demiti-lo-ias
será demitido	seria demitido	demitir-se-á	demitir-se-ia	demiti-lo-á	demiti-lo-ia
seremos demitidos	seríamos demitidos	demitir-nos-emos	demitir-nos-íamos	demiti-lo-emos	demiti-lo-íamos
serão demitidos	seriam demitidos	demitir-se-ão	demitir-se-iam	demiti-lo-ão	demiti-lo-iam
INFINITIVO	**IMPERATIVO**	**INFINITIVO**	**IMPERATIVO**	**INFINITIVO**	**IMPERATIVO**
pessoal	sê demitido	**pessoal**	demite-te	**pessoal**	demite-o
ser demitido	seja demitido	demitir-me	demita-se	demiti-lo	demita-o
seres demitido	sejam demitidos	demitires-te	demitam-se	demitire-lo	demitam-no
ser demitido	**OUTRAS FORMAS**	demitir-se	**OUTRAS FORMAS**	demiti-lo	**OUTRAS FORMAS**
sermos demitidos		demitirmo-nos		demitirmo-lo	
serem demitidos	**gerúndio**	demitirem-se	**gerúndio**	demitirem-no	**gerúndio**
impessoal	sendo demitido	**impessoal**	demitindo-se	**impessoal**	demitindo-o
ser demitido	**particípio passado**	demitir-se		demiti-lo	
	sido demitido				

Apêndice 4-B — Verbos irregulares

verbos auxiliares (*)							

ESTAR	IR	SER	TER	ESTAR	IR	SER	TER
INDICATIVO				**CONJUNTIVO**			
presente				**presente**			
estou	vou	sou	tenho	esteja	vá	seja	tenha
estás	vais	és	tens	estejas	vás	sejas	tenhas
está	vai	é	tem	esteja	vá	seja	tenha
estamos	vamos	somos	temos	estejamos	vamos	sejamos	tenhamos
estão	vão	são	têm	estejam	vão	sejam	tenham
pretérito imperfeito				**pretérito imperfeito**			
estava	ia	era	tinha	estivesse	fosse	fosse	tivesse
estavas	ias	eras	tinhas	estivesses	fosses	fosses	tivesses
estava	ia	era	tinha	estivesse	fosse	fosse	tivesse
estávamos	íamos	éramos	tínhamos	estivéssemos	fôssemos	fôssemos	tivéssemos
estavam	iam	eram	tinham	estivessem	fossem	fossem	tivessem
pretérito perfeito simples				**futuro**			
estive	fui	fui	tive	estiver	for	for	tiver
estiveste	foste	foste	tiveste	estiveres	fores	fores	tiveres
esteve	foi	foi	teve	estiver	for	for	tiver
estivemos	fomos	fomos	tivemos	estivermos	formos	formos	tivermos
estiveram	foram	foram	tiveram	estiverem	forem	forem	tiverem
pretérito-mais-que-perfeito				**IMPERATIVO**			
estivera	fora	fora	tivera				
estiveras	foras	foras	tiveras	está	vai	sê	tem
estivera	fora	fora	tivera	esteja	vá	seja	tenha
estivéramos	fôramos	fôramos	tivéramos				
estiveram	foram	foram	tiveram	estejam	vão	sejam	tenham
futuro				**INFINITIVO**			
				pessoal			
estarei	irei	serei	terei	estar	ir	ser	ter
estarás	irás	serás	terás	estares	ires	seres	teres
estará	irá	será	terá	estar	ir	ser	ter
estaremos	iremos	seremos	teremos	estarmos	irmos	sermos	termos
estarão	irão	serão	terão	estarem	irem	serem	terem
				impessoal			
				estar	ir	ser	ter
CONDICIONAL				**OUTRAS FORMAS**			
				gerúndio			
estaria	iria	seria	teria				
estarias	irias	serias	terias	estando	indo	sendo	tendo
estaria	iria	seria	teria				
estaríamos	iríamos	seríamos	teríamos	**particípio passado**			
estariam	iriam	seriam	teriam	estado	ido	sido	tido

(*) auxiliares da voz passiva: **ser** e **estar**
auxiliares da conjugação perifrástica: **estar** e **ir**
auxiliar dos tempos compostos: **ter**

Chave dos Exercícios

Unidade 1

1.1.

1. tenha	9. sigam	17. consigamos
2. venha	10. ponha	18. leiam
3. veja	11. traga	19. durma
4. compremos	12. vistas	20. beba
5. faças	13. fique	21. digam
6. peça	14. dispam	22. saias
7. abram	15. ouça	23. possa
8. pague	16. perca	24. trabalhemos

1.2.

2. tenha cuidado	7. veja a Ana hoje	12. façam barulho
3. ouçam	8. comas tanto	13. sinta frio
4. sigam as instruções	9. leiam o artigo	14. levemos uns amigos
5. venha cá a casa	10. paguem com cartão de crédito	15. peças as chaves ao porteiro
6. comece mais tarde	11. ponhas o casaco	

1.3.

2. É possível que encontres lá o Pedro.
3. É preciso que ele invista melhor o dinheiro.
4. É necessário que a senhora faça dieta.
5. É possível que consigas emprego.
6. É necessário que estudes mais.
7. É provável que eu ainda faça alguns erros.
8. É provável que eu fique em casa.
9. É preciso que tenhas cuidado com a alimentação.
10. É necessário que ela descanse mais.
11. É possível que me venham visitar.
12. É provável que não te sintas à vontade.
13. É possível que ainda nos vejamos hoje.
14. É natural que estejas cansadíssimo.

Unidade 2

2.1.

1. queira	9. vamos	17. vá
2. saibamos	10. saiba	18. queiram
3. esteja	11. queira	19. vá
4. dê	12. estejamos	20. sejas
5. sejam	13. dê	21. esteja
6. vás	14. estejam	22. queiramos
7. seja	15. saibas	23. deem
8. haja	16. seja	24. saiba

2.2.

1. encontre/esteja	6. queiras	11. haja	16. arrefeça
2. te esqueças	7. esteja	12. se despachem	17. fique
3. façam	8. tenha	13. pergunte	18. vá
4. possa	9. acabem	14. cheguem	19. dê
5. seja	10. saibam	15. peça	

2.3.

2. não partam nada.

3. ele saiba bem inglês, não foi admitido.

4. não haja bilhetes para o teatro, vamos para minha casa.

5. a senhora abra uma conta à ordem, recebe o cartão multibanco.

6. fale com ele primeiro, não posso tirar conclusões.

7. ele venha, encomendamos mais comida.

8. não o conheça pessoalmente, falamos muito ao telefone.

9. não consigas encontrar a casa.

10. estejas completamente bom, não deves sair.

11. me ofereçam as viagens, não trabalho mais com essa agência.

12. guies com cuidado.

Unidade 3

3.1.

2. saiba tantas línguas	7. esteja melhor	12. haja algum problema
3. possa ficar	8. venhas comigo	13. telefone mais tarde
4. deem todas as informações	9. façam barulho	14. apanhes um táxi
5. esqueças o assunto	10. devolva o dinheiro	15. jantem connosco
6. se sinta bem	11. sejas um bom aluno	16. consultes o médico

3.2.

1. chegue	7. vejas	12. durmas/estejas
2. consiga	8. vá	13. acredite
3. vençam	9. diga	14. tragam
4. venham	10. se divirtam	15. mintam
5. tenham	11. saiba	16. possas
6. ajudes		

3.3.

2. se lembrem	5. haja	7. saiba
3. esteja	6. aceite	8. venham
4. consigas		

Unidade 4

4.1.

1. fiquemos em casa amanhã.

2. não esteja ninguém no escritório.

3. já não os veja hoje.

4. ainda haja bilhetes para o concerto.

5. vá jantar fora.

6. faça a festa no próximo sábado.

4.2.

1. tenha de trabalhar neste fim de semana.

2. eles queiram vir connosco.

3. consiga falar com ele amanhã.

4. eles possam vir connosco.

5. os veja hoje à noite.

4.3.

2. não estejam

3. não saiba

4. não haja

5. aceite

6. saiba

4.4.

1. passe
2. corra
3. dê
4. ganhe
5. venha
6. sejam

Unidade 5

5.1.

1. coma
2. durma
3. tente
4. sejam
5. diga
6. faça
7. sejam
8. ganhem
9. seja
10. sinta
11. poupem
12. peças/peça/peçam
13. seja
14. faça
15. queira

5.2.

2. (…) chores, não te faço a vontade.
3. (…) muito que pense, não consigo lembrar-me do nome.
4. Por muito longa que seja a viagem, prefiro ir e vir no mesmo dia.
5. Por muitos/mais conselhos que a mãe lhe dê, ela só faz o que quer.
6. Por mais que ele corra, já não apanha o autocarro.
7. Por muito mal que se sinta, ela não quer ir ao médico.
8. Por muito que a queira ajudar, ela não deixa.
9. Por muito que me custe, não volto a emprestar-te dinheiro.
10. Por muito famosa que ela seja, continua a ser uma pessoa simples.
11. Por muito que ele se esforce, não consegue aprender línguas.
12. Por muito esperto que o miúdo seja, vão descobrir que foi ele.

Unidade 6

6.1.

1. dê
2. possa
3. veja
4. vá
5. esteja

6.2.

1. seja
2. têm
3. fica
4. tenha
5. tira
6. fale/ande
7. sirvam
8. tem
9. coma
10. saiba
11. apaga
12. está
13. sejam
14. conheçam
15. fale

6.3.

2. Ela prefere calças que sejam justas.
3. Há alguém que não tenha acesso à internet?
4. Prefiro morar numa casa que seja fora da cidade.
5. Eles querem contratar uma empregada que tenha boas referências.
6. Vamos a um restaurante que seja perto da praia.

Unidade 7

7.1.

1. venha
2. seja
3. vão
4. venham
5. digas
6. telefone
7. cheguem
8. seja
9. queira
10. cases
11. esteja
12. deem
13. sejam
14. responda
15. faças

7.2.

1. gostes
2. chova/faça
3. estejam
4. queiram
5. vamos/fiquemos
6. venhas/vás
7. se esforce
8. saibas
9. vista/ponha
10. me deite

7.3.

2. Qualquer que seja a prenda, acho que vou gostar.
3. O que quer que digas, agora não tem importância.
4. Quem quer que faça isso, tem de fazê-lo bem.
5. Aonde quer que vão, encontram-se sempre.
6. A quem quer que perguntes, a resposta será a mesma.

7.4.

2. Quer cheguemos a horas quer nos atrasemos, o chefe nunca está satisfeito.
3. Quer haja aulas quer não, tenho de ir à faculdade.
4. Quer perca quer ganhe, o João joga no *euromilhões* todas as semanas.
5. Quer venhas quer não, estou em casa o dia todo.
6. Quer esteja doente quer não, tem de ir trabalhar.

Unidade 8

8.1.

1. vocês saibam a resposta.
2. seja necessário contratar mais pessoal.
3. o filho dela já tenha 10 anos.
4. eles venham a horas.
5. haja muito trânsito a esta hora.
6. tenhas razão.
7. sejam horas de saíres.
8. o tempo vá ficar bom.
9. estejas doente.
10. tragam prendas para todos.
11. consigas passar no exame.

8.2.

2. Não penso que a resposta esteja correta.
3. Não me parece que essa ideia seja boa.
4. Não creio que vá estar bom tempo.
5. Não julgo que eles cheguem a horas.
6. Não acho que ela goste de música clássica.

8.3.

1. ele tenha muitos amigos.
2. eles sejam riquíssimos.
3. eu faça o trabalho sozinho.
4. estejas mais gordo.
5. o João venha amanhã.
6. lá nos deem todas as informações.
7. eles saibam do assunto.
8. ele consiga bater o recorde.
9. a Ana queira ficar em casa.
10. não tenha tempo.

Unidade 9

9.1.
1. há; estejam
2. seja; consegue; quer
3. concordam; digo
4. paguem; mudo
5. treinem; esteja
6. sabem
7. conheça; vai
8. queiras
9. leia
10. vale; são

11. tenhas; dizes; se interessa
12. se atrasem; está
13. possas
14. traga; ficam
15. fale; faz
16. levo; encontro
17. estão
18. aceitem
19. pense; consegue
20. para; faça

9.2.

queremos; tenhamos; dá; andamos; poupe; parece; é; diz; havemos; esteja; podemos; fiquemos; tenhamos; interessa; tem; haja; é; possamos; estejam; queiram; está; vamos; ficamos; acabe; dê

Unidade 10

10.1.
1. há; são
2. seja; é
3. queira; vá
4. tenha
5. tem

6. preferem; corra
7. te importes; prefiro
8. se lembre; vê
9. podemos; queiram
10. venha; deixa

10.2.
1. quer
2. tenham
3. vejam
4. veem
5. ficam
6. fiquem

10.3.
1. aceitem; precisar (precisarmos/precisarem)
2. instalares; leres; fique
3. possa; avise; contactarmos
4. deem; conclua; saber (sabermos/saberem)
5. saiba; fazer (fazermos/fazerem)

10.4.
vão; esteja; querem; assinarem; confirme; está; haja; fique; possa; há; se responsabilize; cumprir

Unidade 11

11.1.
2. tivesse dinheiro!
3. conseguisse aprender inglês!
4. pudesse ser bailarina!

5. se preocupasse tanto!
6. viesse connosco!
7. deixasse de fumar!

8. vivêssemos mais perto!
9. estivesses com tanta febre!
10. fosse mais nova!

11.2.

2. fosse filho deles.
3. fosse uma criança.
4. soubesse tudo.

5. eu não existisse.
6. nascesse das árvores.

11.3.

1. conhecesse
2. tivesse

3. fosse
4. fizesses

5. estivéssemos
6. gostasse

Unidade 12

12.1.

2. o quarto estivesse arrumado, eu conseguia encontrar as minhas coisas.
3. o elevador funcionasse, não tínhamos de descer os nove andares a pé.
4. o anel fosse de ouro, valia muito.
5. lesses mais, não davas tantos erros.
6. vocês não estivessem sempre a falar durante as aulas, aprendiam mais.

12.2.

2. a conhecesse bem, ia falar com ela.
3. houvesse ovos, fazia o bolo.
4. soubesse alemão, respondia ao anúncio.
5. não fizesses anos hoje, zangava-me contigo.
6. tivesses razão, pedia-te desculpa.

12.3.

1. fosse
2. estivesse
3. fosses
4. ganhasse
5. partíssemos

6. soubesse
7. pagasse
8. dessem
9. trouxessem
10. visse

12.4.

1. me oferecessem 2 empregos ..., aceitaria o ...
2. encontrasse uma carteira na rua com ..., entregá-la-ia à polícia.
3. ao chegar a casa, me apercebesse de que estava a ser assaltada, telefonaria para a polícia.
4. um filho ou filha minha quisesse casar com ..., eu deixaria/não deixaria.
5. eu visse alguém a roubar num supermercado, chamaria a polícia.

Unidade 13

13.1.

1.
- tivesse
- houvesse
- estudasse
- pagassem

2.
- pedissem
- emprestasse
- fizessem
- dessem

13.2.

3. Ele achava ótimo que os filhos praticassem desporto na escola.
4. Talvez pudesse ir ao cinema com vocês.
5. Eles esperavam que não fosse nada de grave.
6. Podia ser que o novo método desse resultado.
7. Tive pena que ela não estivesse cá.
8. Não havia ninguém que me pudesse ajudar.
9. Mesmo que fosse caro, eu não me importava.
10. Queria que fosses ao supermercado buscar leite.
11. Não havia nada que pudesses fazer, naquele momento.
12. Por muito que lhe pedissem, não ia mudar a sua opinião.
13. Quer quisesses quer não, tinhas de contar o que se passou.
14. Preferia mudar para uma casa onde houvesse menos barulho.
15. Queria tanto que viesses à minha festa!

13.3.

apetecia; era; devesse; pudéssemos; conseguíssemos; ficava; pensava; quisesse; custasse; tinha; gostasse; tinha; estivesse; voltava; tomava; fosse

Unidade 14

14.1.

1. for
2. falarmos
3. puser
4. souberem
5. venderes
6. vir
7. for
8. trouxerem
9. partir
10. quiserem
11. lermos
12. deres
13. pedir
14. viermos
15. puderes
16. disser
17. dormirem
18. tiver
19. estiver
20. puserem
21. vierem
22. formos
23. trouxer
24. fores

14.2.

2. houver
3. mudarmos
4. errares
5. puseres
6. quiserem
7. chegar
8. for
9. for
10. quiserem
11. vierem
12. for
13. souberem
14. estiverem
15. sentir/estiver/tiver

14.3.

2. fores ao café.
3. o sinal estiver vermelho.
4. vir as fotografias.
5. fizeres anos.
6. achares melhor.

14.4.

2. for no comboio das 21h00, chego lá por volta da meia-noite.
3. tivermos tempo, vamos visitar-te.
4. não me sentir melhor, amanhã vou ao médico.
5. puseres os óculos, vês melhor.
6. for meia-noite, cantamos os parabéns.

Unidade 15

15.1.
1. forem
2. forem
3. encontrar
4. quiseres
5. estiver
6. puder
7. ajudarem
8. tiver
9. mandarmos
10. disser

15.2.
2. Sentem-se onde eu indicar.
3. a) Só quem tiver muita paciência consegue resolver esse enigma.
   b) Só aqueles que tiverem muita paciência conseguem resolver esse enigma.
4. a) Os que chegarem primeiro poderão escolher os melhores lugares.
   b) Quem chegar primeiro poderá escolher os melhores lugares.
5. a) Quem se candidatar ao lugar terá de se submeter a uma entrevista.
   b) Todos aqueles que se candidatarem ao lugar terão de se submeter a uma entrevista.
6. a) Aqueles que estiverem interessados devem inscrever-se até ao fim do mês.
   b) Quem estiver interessado deve inscrever-se até ao fim do mês.

15.3.
2. O professor dará um prémio a quem tiver melhores notas.
3. Podem fazer um desenho sobre o tema que quiserem.
4. Vou gravar tudo o que disserem.
5. Vou aonde vocês forem.

Unidade 16

16.1.
1. disseres
2. Venha
3. for
4. Fale
5. Cheguem
6. trouxeres

16.2.
2. Vista o que vestir, ...
3. Estejas onde estiveres, ...
4. Digas o que disseres, ...
5. Seja para o que for, ...
6. Vás por onde fores, ...

16.3.
1. Haja/houver
2. Perguntes/perguntares
3. Custe/custar
4. Estejam/estiverem
5. Venham/vierem
6. Sejam/forem
7. Ganhe/ganhar
8. Coma/comer
9. Vás/fores
10. Fale/falar
11. Ouças/ouvires
12. Aconteça/acontecer
13. Faça/fizer
14. Peça/pedir
15. Perca/perder

16.4.

1. Deite-me a que horas me deitar, acordo sempre às 7h00.
2. Esforce-se o que se esforçar, ninguém reconhece o seu valor.
3. Falem com quem falarem, a resposta será sempre a mesma.
4. Penses o que pensares, as regras são para cumprir.
5. Digam o que disserem, para mim ele é o melhor jogador de todos os tempos.

Unidade 17

17.1.

1. Se não puseres a carne no frigorífico, estraga-se.
2. Se passar no exame, tenho hipótese de fazer um estágio em Inglaterra.
3. Se nos levantarmos cedo, podemos apanhar o comboio das 8h00.
4. Se não parares de comer chocolate, vais ficar com dores de barriga.
5. Se for promovido, terei um gabinete novo.

17.2.

1. tiver	6. me sentir
2. ficarei/vier	7. puser
3. abre-se	8. se despacharem
4. chegarem	9. for
5. precisares	10. estiver

17.3.

2. Se ele for selecionado para o jogo, ganhamos com certeza.
3. Se pedires um aumento, dão-to.
4. Se esse quadro for valioso, vendemo-lo.
5. Se chegar mais cedo, ajudo-te com os trabalhos de casa.
6. Se a festa acabar às tantas, vou-me embora mais cedo.
7. Se o gatinho morrer, o João vai ficar muito triste.
8. Se fizeres o exame em julho, terás mais tempo para estudar.
9. Se não vierem no comboio das 20h00, vou buscá-los à estação.
10. Se (eu) amanhã não estiver no escritório, adiamos a reunião para quarta-feira.

Unidade 18

18.1.

1. tenha saído	4. tenhas lido
2. tenhas dito	5. tenham tomado
3. tenham ido	

18.2.

2. tenha ido	4. se tenham arranjado
3. tenha ficado	5. tenha ofendido

18.3.

1. se tiverem mudado	4. tivermos recebido
2. tiveres feito	5. tiverem corrigido/se tiverem reunido
3. tiverem atingido	

18.4.
2. tivermos visto o museu, vamos visitar o castelo.
3. tiver acabado a reunião, vamos todos ao café.
4. tivermos feito as contas, saberemos quanto cabe a cada um.
5. tiveres completado o 9.º ano, poderás optar por uma área profissional.
6. tiver recebido o dinheiro na 6.ª feira, vou passar o fim de semana fora.

Unidade 19

19.1.
2. Se não tivesse tido a ajuda do polícia, não tinha encontrado a rua.
3. Se tivesses tido calma, tinhas resolvido o problema.
4. Se tivesse havido trânsito, nunca mais tínhamos chegado.
5. Se tivessem apanhado um táxi, tinham demorado menos.
6. Se tivesse posto natas, o prato tinha ficado mais saboroso.
7. Se tivéssemos tido mais tempo, teríamos conhecido melhor a cidade.
8. Se me tivessem oferecido outras condições, tinha aceitado o trabalho.
9. Se não tivesse conhecimentos de inglês e espanhol, não tinha conseguido o emprego.
10. Se não tivesse havido uma tradução, não teria compreendido nada.

19.2.
2. não tivesse pintado o cabelo.
3. tivesse ido ao dentista.
4. tivéssemos visto o filme.
5. tivesse comido menos.
6. não tivesse adormecido.
7. os tivesse comprado na semana passada.
8. tivesse falado com eles.

Unidade 20

20.1.

☺	☹
1. esteja	estivesse
2. passe	passasse
3. haja	houvesse
4. fique	ficasse
5. seja	fosse

20.2.
1. Oxalá esteja bom tempo!
   Oxalá estivesse bom tempo!
2. Tomara que possa ir comigo à festa!
3. Deus queira que consigam!
4. Oxalá conseguissem (…)
5. Tomara que fosse (…)

Unidade 21

21.1.
1. tenha corrido
   tivesse passado
2. tivessem optado
   tenham tomado
3. tivesse havido
   tenha tido
4. tenha ganho
   tenha vencido
5. tivessem morrido
   se tivessem salvado

21.2. (sugestões)
1. Oxalá tenha sido selecionada!
2. Tomara que tivesse ido ao médico mais cedo!
3. Oxalá o médico não se tenha enganado!
4. Tomara que tivesse ficado em casa!

Unidade 22

22.1.

1. sentira
2. fizera
3. dera
4. tivera/fora
5. escrevera

22.2.

1. lera; percebera; chegara; dissera
2. dera; garantira; propusera
3. fora; houvera; tivera; fizera

Unidade 23

23.1.

1. terá ressuscitado; terá morrido; terá bebido; terá sentido; terá chamado; terão garantido; terão ouvido; terá transportado; terá ficado
2. terá ferido; terá ocorrido; terá disparado

23.2.

2. Quem o terá partido?
3. Quem a terá escrito?
4. Já terão feito os trabalhos de casa?
5. Terá ficado doente?
6. Onde os terei posto?
7. Terá gostado?

23.3.

1. teremos acabado
2. terá nascido
3. terá feito
4. terei terminado
5. terá aterrado
6. terão ido

Unidade 24

24.1.

teriam utilizado; teria sido furtada; teria ficado; teria saído; teria ameaçado; teria encostado

24.2.

2. Qual teria sido o resultado das eleições?
3. Quem teria ganhado o concurso?
4. Porque é que ele teria ficado zangado comigo?
5. Eles já teriam chegado?
6. Quais teriam sido as causas do acidente?
7. Porque é que o João se teria despedido?
8. O que é que teria acontecido ontem à noite?
9. Quem teria sido a pessoa responsável por essa decisão?
10. Como é que os ladrões teriam entrado?
11. A resposta teria sido positiva?

24.3. (sugestões)
1. não teria sido assaltado.
2. não teríamos saído.
3. teríamos ido ao cinema.
4. teriam apanhado o comboio das 20h00.
5. terias sido reembolsado.

Unidade 25

25.1.
1. Falar-lhe-emos
2. Dar-se-ão
3. Visitá-lo-ei
4. trar-te-ão
5. Sentir-me-ia

6. convidá-los-ia
7. Interessar-lhe-ia
8. ser-lhe-ão
9. recebê-la-á
10. Encontrar-nos-emos

25.2.
1. Ajudá-lo-emos
2. Demitir-se-á
3. Pedir-te-ei
4. Far-se-á
5. Cumprimentá-la-ia
6. Ter-vos-ia mentido
7. Ter-lhes-ia escrito
8. Ter-se-iam perdido
9. Ter-me-ia casado
10. Reconhecê-la-ia
11. Ver-nos-emos mais vezes.
12. Opor-me-ia
13. Contactá-lo-ão amanhã, com certeza.
14. Sentir-te-ias
15. Dar-se-ão

Unidade 26

26.1.
O locutor disse que, após quatro anos de seca, tinham chegado finalmente as chuvas do século e referiu que a água tinha subido nos rios, encharcado o Alentejo e até dava para encher o Alqueva. Mencionou ainda que, dos prejuízos da seca, se tinha passado para os das cheias, num inverno em que tinha chovido diariamente e as previsões apontavam para que continuasse a chover nos meses seguintes.

26.2.
Barbeiro: Tenho um segredo, mas não posso revelá-lo a ninguém. Se não o disser, morrerei e, se o disser, o rei mandar-me-á matar.
Padre: Vai a um vale, faz uma cova na terra e diz o segredo tantas vezes até ficares aliviado desse peso. Depois, tapa a cova com terra.
Barbeiro: Fiz o que me disse e, depois de ter tapado a cova, voltei para casa muito descansado.

26.3.

1. Voltando-se para o Luís, a Paula disse-lhe que tinha sido chamada para uma entrevista numa consultora. A entrevista tinha ficado marcada para quarta-feira da semana seguinte.
2. O Luís respondeu que isso eram ótimas notícias e deu-lhe os parabéns. Esperava que tudo corresse bem e que ela fosse admitida.
3. A Paula disse que, se conseguisse o emprego, poderia realizar algumas das coisas com que sempre tinha sonhado, mas acrescentou que o melhor era não se entusiasmar antes de tempo.

Unidade 27

27.1.

1. quiseres; queres
2. fizer; faz
3. chegam; Cheguem; chegarem
4. vêm; vierem
5. viram; tiverem visto

6. consigo; conseguisse
7. tinha trazido; tivesse trazido
8. tens; tiveres
9. ia; Vá; for
10. estão; estiverem

27.2.

1. foram
2. pus
3. for
4. vier
5. Digas/disseres

6. parte
7. quiseres
8. têm
9. tivesse encontrado
10. vires

Unidade 28

28.1.

2. Tendo embatido no muro, a carrinha ficou muito danificada.
3. Tendo sido levado para o hospital, diagnosticaram-lhe um traumatismo craniano.
4. Tendo ficado sob observação, teve alta passado uma semana.
5. Não se sentindo totalmente recuperado, resolveu tirar uns dias de férias.
6. Tendo apanhado um susto, decidiu que o melhor era não ir a conduzir.
7. ... "Indo de comboio, é muito mais seguro".

28.2.

1. Indo a Braga, vou visitar-vos.
2. Tendo já acabado os exames, o João partiu ontem para o Algarve.
3. Apanhando um táxi, pode ser que não chegues atrasado.
4. Tendo esclarecido a situação, não teria havido tantos problemas.
5. Tendo já visto essa peça de teatro, não me importo de ficar a tomar conta das crianças.
6. Em acabando o estágio, vou concorrer para fora de Lisboa.
7. Tendo pensado melhor, não teria aceitado o trabalho.
8. Vindo pela estrada antiga, tenham cuidado com as obras.
9. Não lhes tendo dado autorização, ficaram muito sentidos comigo.
10. Trazendo as crianças, avisem-me para eu preparar os quartos.

28.3. (sugestões)

1. Tendo febre, ...
2. Tendo ficado sem dinheiro, ...
3. Comprando uma dúzia, ...

4. Tendo chegado a casa, ...
5. Tendo estudado, ...
6. Estando a chover, ...

Unidade 29

29.1.

1. terem acabado
2. ter passado
3. terem tido
4. termos conseguido
5. teres encontrado
6. se terem casado
7. teres visto
8. terem sido convidados
9. ter sido admitido
10. teres comprado

29.2.

1. não puderes vir, telefona-me.
2. já terem sido apresentados no congresso anterior.
3. ter desligado o gás quando saí de casa.
4. não terem podido assistir à estreia.
5. terem muito dinheiro, são pessoas discretas.
6. nós termos chegado.
7. o tempo ter estado péssimo, não adiaram as provas de atletismo.
8. ter tido a melhor nota.
9. pores o casaco.
10. o médico vir.
11. eles pensarem de outra maneira.
12. vir falar comigo.
13. se terem despedido.
14. não voltarem a repetir tais erros.
15. os convidados chegarem.

Unidade 30

30.1.

2. Quanto menos souberem, melhor para eles.
3. Quanto mais tempo estiver à espera, mais impaciente fica.
4. Quanto melhor o conheço, mais gosto dele.
5. Quanto menos comeres, mais fraca te sentes.
6. Quanto mais exercícios fizer, mais depressa recupero a linha.
7. Quanto pior for o serviço, mais clientes perderão.
8. Quanto mais frio está o tempo, mais me apetece ficar em casa.
9. Quanto mais durmo, mais sono tenho.

30.2.

2. Quanto menos cuidado as pessoas tiverem com o ambiente, pior será para todos.
3. Quanto mais eles treinarem, melhores resultados obterão.
4. Quanto mais depressa acabarem o trabalho, mais cedo poderão sair.
5. Quanto menos movimento há à noite, mais perigoso é andar na rua.
6. Quanto mais calor está, mais sede tenho.

30.3.

2. maior..., melhor...
3. mais..., menos...
4. piores..., mais...
5. mais..., pior...
6. mais..., mais...

Unidade 31

31.1.
1. Como é que te estás a dar com o teu novo chefe?
2. Tentámos tudo e não deu em nada.
3. Esse produto não dá para soalhos de madeira.
4. Não dou para ficar em casa sem fazer nada.
5. Roubaram a mala à senhora e as pessoas que estavam ao pé fingiram não ter dado por nada.
6. Enquanto não der com a solução, não descanso.
7. Tens uma vista maravilhosa. A tua casa dá para os jardins do Palácio.

31.2.
1. Portugal fica na zona mais ocidental da Europa.
2. Como já não querias aquela bicicleta velha, arranjei-a e fiquei com ela.
3. O António ficou de vir ter connosco à porta do cinema.
4. Isto não fica por aqui! Amanhã quero voltar a este assunto.
5. Se não houver consenso, a votação fica para amanhã.
6. Chegámos tão cansados que não tive coragem de arrumar nada. As malas ficaram por desfazer.
7. Ninguém responde, o que é muito estranho, pois eles tinham dito que ficavam em casa.
8. O anel da minha avó ficou para mim.

31.3.
1. O que se terá passado naquela esquina?
2. Finalmente passou a chefe de secção.
3. Todos os alunos com uma disciplina em atraso passarão automaticamente para o ano seguinte.
4. Se já tivesses passado os sofás para a parede do fundo, ganhavas mais espaço.
5. Sei que é por timidez, mas tens de cumprimentar as pessoas, senão passas por mal-educada.

31.4.

1. por	6. de	11. por	16. com
2. com	7. com	12. com	17. em
3. para	8. de	13. para	18. do
4. com	9. para	14. no	19. com
5. da	10. por	15. por	20. no/por

Unidade 32

32.1.

fazer	pedir	ver	vir
1. se refez	1. despediram	1. previa	1. convier/convenha
2. desfizeram	2. impedido	2. rever	2. provindo
3. rarefaz-se	3. desimpedir	3. revimos	3. intervenhas
4. refazeres	4. foi expedida	4. previa	4. convém
5. desfeito	5. impedindo	5. foram revistas	5. intervieram
6. satisfazia	6. impedem	6. previmos/prevejo	6. advir
7. perfaz	7. despeçam-se		
8. refazer			
9. satisfaça			
10. desfazer			

Unidade 33

33.1.

pôr	
1. supus	10. se expõe
2. se opôs	11. se impusesse
3. dispor	12. impor
4. dispus-me	13. depuseram
5. compôs	14. supunha
6. tenham reposto	15. repuseram
7. transpusesse	16. expus
8. Compõe	17. compõe-se
9. expostos	18. Suponho

ter	
1. retidos	7. mantinha
2. entreteve-se	8. obteve
3. abstenho-me	9. contêm
4. manteve	10. foram detidos
5. me contive	11. entretém-se
6. sustém	12. entreteve-se

Unidade 34

34.1.
1. Foram tomar
2. vou deixar
3. Vou desligar; vai interromper
4. Foi … levantar
5. Fui fazer
6. Ia … enviar
7. ia/iria ganhar
8. iam encontrar

34.2.
1. vou preparando
2. Vai descendo
3. vai ficando/vai perdendo
4. Ia tendo/ia atropelando
5. ias partindo
6. se ia aproximando/ia ganhando
7. ia caindo
8. fui adiantando

34.3
1. vim a saber
2. Viemos a descobrir
3. ia a subir
4. íamos a sair
5. Vim a encontrar
6. íamos a chegar
7. venham a ganhar
8. ia a fechar

Unidade 35

35.1.
1. Diz-se que este inverno vai ser muito chuvoso.
2. Espera-se que a greve dos transportes termine rapidamente.
3. Em África, infelizmente, ainda se morre de fome.
4. Finalmente, soube-se a verdade.
5. Pensa-se que ele enriqueceu com negócios ilegais.

35.2.
1. No final da reunião, tiram-se as conclusões.
2. Lava-se e engoma-se roupa.
3. Alugam-se bicicletas.
4. Aceitam-se encomendas para o Natal.
5. Admitem-se empregados.

35.3.
   2. Se ela tivesse vindo à inauguração, ...
   3. Se não vivessem tão longe, ...
   4. Se o tempo estivesse bom, ...
   5. Se as passagens aéreas não fossem tão caras, ...

35.4.
   1. se alguém tinha ficado com dúvidas.
   2. se tivesse tempo, ainda passava por casa dela.
   3. se eu tinha uma caneta que lhe emprestasse.
   4. se podia sair mais cedo.
   5. se pudesse sair mais cedo, ia connosco ao cinema.

35.5.
   1. encontraram-se/se viam
   2. se barbeava/cortou-se
   3. dão-se
   4. levanta-se/se arranjar
   5. zangaram-se/se falar

Unidade 36

36.1.
   2. Não queres é fazer nada.
   3. Gostava era que pudessem vir.
   4. Ela só pensa é em divertir-se.
   5. Venderam-te foi uma imitação.
   6. Convinha era que estivessem todos presentes.

36.2.
   2. Vocês lá devem saber o que estão a fazer.
   3. Ela lá voltou a cometer o mesmo erro.
   4. Lá conseguiste vender o carro por um bom preço.
   5. Eu cá vou ficar a tomar conta das crianças.
   6. Depois de esperarem horas, lá conseguiram uma boleia.

36.3.
   2. A ele, ficou-lhe a dever muito dinheiro. Coitado do João!
   3. A nós, ninguém nos avisou da reunião.
   4. De certeza que o vão eleger a ele para o próximo mandato.
   5. Chamaram-na a si pelo intercomunicador, D. Teresa. Não ouviu?
   6. A ti, não te empresto mais nenhum livro.

36.4.
   2. Foi na escola que passei os melhores anos da minha juventude.
   3. Era à sexta-feira à noite que iam sempre ao cinema.
   4. É de manhã e ao final da tarde que há sempre muito trânsito.
   5. Era a vossa opinião sobre este assunto que eu queria ouvir primeiro.
   6. É comigo que ela gosta de desabafar.

Unidade 37

37.1. (sugestões)

2. a) Quando era pequeno, gostava muito de brincar.
   b) Hoje em dia, vivemos na era da informática.
3. a) Eu sou saudável, porque não fumo.
   b) Aquela chaminé está a deitar muito fumo.
4. a) Sempre que rio muito, parece que estou a chorar.
   b) Lisboa é banhada pelo rio Tejo.
5. a) Os meus alunos são todos muito simpáticos.
   b) Beber muito não é um hábito são.
6. a) Senta-te ali. A cadeira está vaga.
   b) Uma vaga gigantesca arrasou a pequena aldeia.

37.2.

1.
   .Asso
   .aço

2. acento - sinal de acentuação
   assento - lugar para sentar
   .acento
   .assento

3. à - a (preposição) + a (artigo definido)
   há - verbo haver (pres. ind.); expressão de tempo
   ah - interjeição
   .há
   .à/há
   .Ah

4. conserto - arranjo; reparação
   concerto - sessão musical; harmonia; acordo
   .conserto
   .concerto

5. houve - verbo haver (p.p.s.)
   ouve - verbo ouvir; 3.ª pess. sing. (pres. ind.);
   imperativo informal
   .Ouve
   .houve

6. coser - costurar
   cozer - cozinhar em água a ferver
   .cozer
   .coser

7. eminente - destacado; notável
   iminente - em risco certo, para breve
   .eminente
   .iminente

8. elegível - que pode ser eleito
   ilegível - que não se consegue ler
   .elegível
   .ilegível

9. roído - comido; esburacado
   ruído - som desagradável; barulho
   .ruído
   .roído

10. traz - verbo trazer, 3.ª pess. sing. (pres. ind.)
    trás - preposição
    .trás
    .traz

11. tenção - (ter) intenção
    tensão - nervosismo; *stress*
    .tensão
    .tenção

37.3. (sugestões)

1. a) A minha cor preferida é o azul.
   b) Ele estudou tanto que sabe a matéria de cor.
2. a) Eu gosto muito da zona onde habito.
   b) Eu não tenho o hábito de me deitar cedo.
3. a) O senhor não pode estacionar aqui o carro.
   b) Ela ontem não pôde vir trabalhar, porque esteve doente.
4. a) Já entreguei os documentos na secretaria.
   b) A secretária passou a chamada ao diretor.

37.4. (sugestões)

1. a) A cerca do jardim precisa de ser arranjada.
   b) O Atlântico cerca a Madeira.
2. a) Preciso de uma cópia deste documento.
   b) Ele copia sempre nos exames, porque estuda pouco.
3. a) O governo decretou novos impostos.
   b) Eu governo a minha vida o melhor que posso.
4. a) Paguei 3 € por um quilo de peras. Estão caras!
   b) Vou pôr a mesa para o jantar.
5. a) Marie Curie foi uma sábia. Descobriu os raios X.
   b) Eu sabia que ias gostar dessa prenda.

37.5. (sugestões)

1. a) Temos de crer em qualquer coisa, ter fé.
   b) Ela pode não querer que se fale sobre esse assunto.
2. a) O chefe fez-nos um grande cumprimento.
   b) Esta mesa tem 2 metros de comprimento.
3. a) A leitura é uma excelente forma de evasão.
   b) A invasão da Europa era um dos objetivos de Napoleão.
4. a) Uma pessoa previdente protege-se contra o roubo.
   b) Ela é muito providente: tem sempre o que precisa.
5. a) O prefeito de Brasília já cumpriu dois mandatos.
   b) O trabalho está perfeito.

37.6.

1. b)
2. c)
3. a)
4. d)
5. c)

37.7.

1. insossa
2. ao ataque
3. cima
4. apertado
5. princípio

Unidade 38

38.1.

conetor	função
1.	**1.**
para	indicar a intenção ou o objetivo
quer isto dizer que	introduzir esclarecimentos ou retificações
com o intuito de	indicar a intenção ou o objetivo
com o objetivo de	indicar a intenção ou o objetivo
2.	**2.**
tanto … como	acrescentar informação
devido a	indicar o motivo
de modo a	indicar a intenção ou o objetivo
aliás	introduzir esclarecimentos ou retificações
nomeadamente	introduzir esclarecimentos ou retificações
em suma	indicar o fim
por tudo isto	indicar o resultado
com o objetivo de	indicar a intenção ou o objetivo
não só … mas também	acrescentar informação

(continua)

(continuação)

conetor	função
3. graças a bem como deste modo assim por exemplo assim como finalmente além de igualmente para	**3.** indicar o motivo acrescentar informação indicar o resultado indicar o resultado introduzir esclarecimentos ou retificações acrescentar informação indicar o fim acrescentar informação acrescentar informação indicar a intenção ou objetivo

38.2.
1. porque (dado que/já que/uma vez que/visto que)
2. Isto significa que (por outras palavras)/visto que (porque/dado que/já que/uma vez que)
3. Consequentemente (daí que/de modo que/é por isso que/em consequência/logo/por isso/por tudo isto)
4. devido (graças)
5. Além disso (além do mais)
6. em particular (nomeadamente)
7. para que (afim de que/com a intenção de que/com o intuito de que)
8. Uma vez que (dado que/já que/visto que)
9. para (a fim de/com a intenção de/com o intuito de/com o objetivo de/de modo a)/isto é (ou seja)
10. assim como (bem como)/Em suma (concluindo/em conclusão/em resumo/em síntese/finalmente/por fim/por último)

38.3. (sugestões)
1. Há atletas que são desqualificados porque consomem substâncias ilegais.
2. A partir de hoje, a circulação de comboios entre Covilhã e Guarda está suspensa devido às obras de melhoramento da linha. Consequentemente, a ligação entre as duas cidades é assegurada por autocarro.
3. Jurista, assim como professor universitário, terá agora de desempenhar não só o papel de líder político mas também de líder espiritual.
4. Os estudantes querem promover uma iniciativa legislativa popular com o objetivo de apresentá-la na Assembleia da República contra a precariedade no trabalho.
5. Muito se pode atribuir à crise económica, que levou a que os portugueses, por exemplo, refreassem o uso do seu carro. Além do mais, o aumento das energias renováveis deu o seu contributo.

38.4. (sugestões)
1. tenha melhorado bastante o inglês.
2. o ar fresco pudesse entrar.
3. também um marido e pai exemplar.
4. resolvi inscrever-me num curso intensivo.
5. os professores das escolas privadas vão ficar equiparados aos das escolas públicas.

Unidade 39

39.1.
1. embora
2. ainda que
3. Mesmo assim
4. Mesmo que/Se bem que
5. enquanto que

39.2.
1. apesar de
2. Contudo
3. No entanto
4. não obstante
5. Embora
6. Mesmo assim
7. Ainda que

39.3.
1. Muitas pessoas desconhecem que eles, embora vivam juntos, não são casados.
2. Conseguimos bons resultados não obstante a recessão.
3. A fraca qualidade de algumas telenovelas é uma realidade. Contudo, as audiências continuam a subir.
4. Ele parece ser tímido e calmo enquanto que a irmã é muito extrovertida.
5. O ambiente encontra-se degradado. Porém, poucos são os que se preocupam.

39.4.
1. É uma ótima cidade para se visitar, ainda que tenha problemas terríveis de trânsito.
2. Penso que consegues, apesar de não ser fácil.
3. Não apreciei o filme, embora os atores e o realizador fossem conhecidos.
4. Ela é a mais nova do grupo, se bem que se tenha revelado melhor que os colegas mais antigos.
5. Prefiro assim, mesmo que seja mentira.

Unidade 40

40.1.
1. imprevisto
2. desordem
3. irrespirável
4. incoerente
5. irregular
6. imperdoável
7. ilimitadas
8. irreversível
9. irrepreensível
10. invertebrado

40.2.
2. espanhol
3. dinamarquês
4. italiano
5. escocês
6. timorense
7. açoriano
8. chinês
9. alemão
10. africano
11. brasileiro
12. madeirense
13. moçambicano
14. japonês
15. cabo-verdiano

40.3.
1. lembrança
2. doença
3. perseverança
4. diferença
5. parecença

6. maldição
7. orientação
8. distração
9. eleição
10. aflição

16. elegância
17. distância
18. decência
19. violência
20. experiência

21. agilidade
22. aptidão
23. habilidade
24. lentidão
25. sobriedade

31. ternura
32. cultura
33. fervura
34. cobertura
35. queimadura

36. padaria
37. peixaria
38. frutaria
39. sapataria
40. perfumaria

11. homenagem
12. secagem
13. lavagem
14. dobragem
15. filmagem

26. teimosia
27. ironia
28. cobardia
29. valentia
30. alegria

41. minutinho
42. jardinzinho
43. passarinho
44. saquinho
45. Anita

40.4.

1. amanhecer
2. entardecer
3. anoitecer
4. enraivecer
5. adoecer

6. creditar
7. realizar
8. sistematizar
9. explicitar
10. modernizar

40.5.

1. excecional
2. mensal
3. semanal
4. comercial
5. espiritual

6. louvável
7. disponível
8. alterável
9. favorável
10. saudável

40.6.

2. sapateiro
3. filatelista
4. reitor
5. oleiro
6. lavrador/agricultor

7. bombeiro
8. romancista/escritor
9. florista
10. marceneiro/carpinteiro

40.7.

2. frequentemente
3. sinceramente
4. atentamente
5. repentinamente
6. propositadamente
7. despreocupadamente

8. secretamente
9. simultaneamente
10. Efetivamente
11. carinhosamente
12. facilmente

Unidade 41

41.1.

2. trinca-espinhas
3. chapéus de sol
4. surdas-mudas
5. castanho-claro/azuis-claros
6. estrelas-do-mar
7. saca-rolhas

8. novos-ricos
9. pé de cabra
10. água-de-colónia
11. luso-brasileira
12. obra-prima
13. troca-tintas

14. cabeça de casal
15. porta-voz
16. belas-artes
17. fim de semana

41.2.

1. vaivém
2. passatempo
3. vinagre
4. benfeitor
5. Monsanto
6. rodapés
7. fidalgo
8. paraquedas

Unidade 42

42.1.

1. japonês	perfil	pontapé	cônsul	rapaz
2. homem	moinho	refém	vocês	falávamos
3. anel	sótão	oásis	caju	música
4. raiz	difícil	céu	água	herói
5. júri	veem	açúcar	saída	portuguesa
6. ruído	apoio	paraíso	hotel	nuvem
7. armário	papéis	baús	vírus	jiboia
8. móveis	câmara	clímax	compor	abríamos
9. miúdo	piano	daríamos	gás	abdómen
10. útil	atrás	limão	países	lêssemos

42.2.

1. caia; caía
2. pode; pôde
3. tem; têm
4. fôrma; forma
5. chegamos; chegámos
6. secretaria; secretária
7. saí; sai
8. país; pais
9. àquela; aquela
10. funcionaria; funcionária
11. Por; pôr
12. As; às
13. interprete; intérprete
14. estas; estás
15. Dê; de

42.3.

1. Eu nunca ponho açúcar no chá, nem no café; só no leite.
2. Fui ao médico, porque há dias que ando cheio de dores de estômago.
3. Quando comprámos a máquina fotográfica, ofereceram-nos um álbum.
4. As vendas de telemóveis no nosso país têm aumentado nos últimos anos.
5. A indústria têxtil portuguesa é reconhecida internacionalmente.
6. Em anos de muita chuva, as consequências das cheias no sector socioeconómico são sempre dramáticas.
7. Vê aí no mapa quantos quilómetros faltam para a fronteira.
8. Com este trânsito, se fôssemos a pé, chegaríamos mais depressa.
9. Vocês leem as legendas a esta distância?
10. O vocabulário específico da área de direito não é nada fácil.
11. Gostaríamos de provar o bolo de amêndoa, se fosse possível.
12. O juiz chamou o advogado do réu à parte e ninguém sabe o que lhe terá dito.
13. Recebi uma carta dos meus avós e, felizmente, estão os dois bem de saúde.
14. Sem dúvida que contribuíste muito para o êxito do espetáculo.
15. Ela pôs-se a falar português em apenas três meses.

42.4.

O Luís recebeu uma tenda pelo aniversário. Como faz anos em janeiro, ainda não pôde estreá-la. Vai aproveitar as férias da Páscoa, que este ano calham no fim do mês de abril, para ir acampar para a costa alentejana com o Ângelo e o amigo dele finlandês, estudante universitário de Eramus que só está em Portugal há três meses e pouco conhece do nosso país.

Partiram de Lisboa no sábado, às nove da manhã com um lindo dia de sol, mas assim que lá chegaram já o céu estava carregado de nuvens escuras e viam-se relâmpagos ao longe. Bem diz o provérbio: «abril, águas mil» e, como era previsível, choveu toda a noite.

Unidade 43

43.1.

1. O curso para fins específicos "Conceitos de Gestão" visa ajudar os participantes a desenvolverem as suas capacidades em língua portuguesa, de acordo com as suas necessidades profissionais. Os objetivos principais são: revisão e consolidação das estruturas linguísticas; enriquecimento quantitativo e seletivo do vocabulário, na área específica em questão; treino intensivo de capacidade criativa de expressão.

2. - Então, Luís, sempre vens connosco? - perguntou o João.
   - Bem que eu gostaria, mas ... - respondeu o Luís.
   - Ah! É verdade! Tens exame amanhã - disse o João. - Que pena!

3. A arte do azulejo, palavra derivada do árabe «al-zu-leycha» (que significa pequena pedra), é uma herança da cultura islâmica que, após a Reconquista Cristã, foi deixada aos povos da Península Ibérica.

43.2.

Através do testamento, Calouste Gulbenkian criou, nos termos da lei portuguesa, uma fundação denominada «Fundação Calouste Gulbenkian» cujas bases essenciais são as seguintes:

a) é uma Fundação portuguesa, perpétua, com sede em Lisboa, podendo ter, em qualquer lugar do mundo civilizado, as dependências que forem julgadas necessárias;
b) os seus fins são caritativos, artísticos, educativos e científicos;
c) a sua ação exercer-se-á não só em Portugal, mas também em qualquer outro país, onde os seus dirigentes o julguem conveniente.

Deste modo, a Fundação opera, desde o princípio da sua existência, no Médio Oriente (a sua principal fonte de receitas provinha do Iraque), junto às comunidades arménias espalhadas pelo mundo (Calouste Gulbenkian era arménio) e no Reino Unido (a sede dos negócios de Gulbenkian era em Londres e este naturalizara-se britânico). Mais tarde, a sua ação estender-se-ia a França (país onde vivera largos anos antes de fixar residência em Lisboa e onde reunira grande parte da sua coleção de arte) e a todos os países de língua oficial portuguesa, com particular incidência no Brasil e nos novos estados africanos.